LOS PINCELES DE LA HISTORIA

EL ORIGEN del REINO de la NUEVA ESPAÑA

1680 - 1750

junio - octubre 1999

Las imágenes cuentan y cuentan...

MUSEO NACIONAL DE ARTE

MUNAL 2000

Año 2000: Del Siglo XX al Tercer Milenio

Tacuba núm. 8, Centro Histórico
Tel: 55-12-16-84 / 55-12-06-14
museonal@solar.sar.net

Cartier

De negocios a Stüttgart.

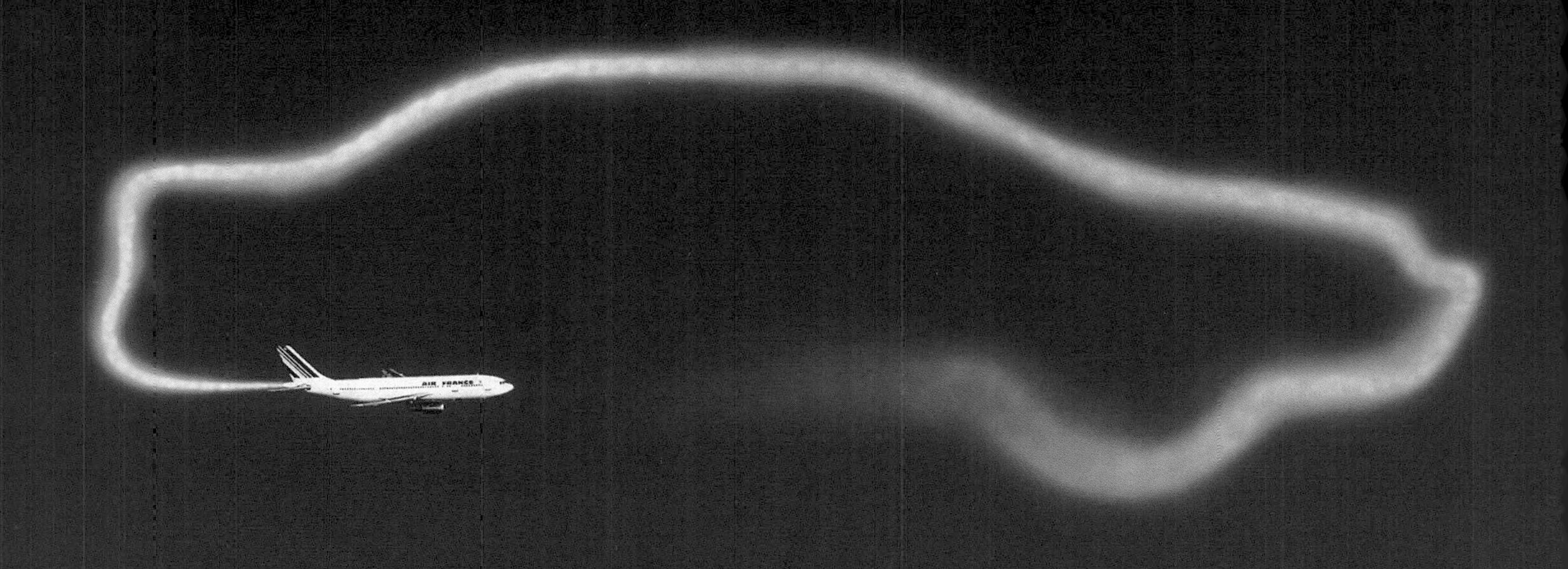

Con Air France siempre hay un destino a su medida.

Lo llevamos a más de 50 destinos en Europa haciendo una conexión rápida y eficiente en París, para que usted llegue justo el día que le conviene.

Y todo con el placentero servicio que sólo L' Espace 127 (Business Class) le puede ofrecer.

AIR FRANCE

LLEGANDO AL CORAZÓN DEL MUNDO

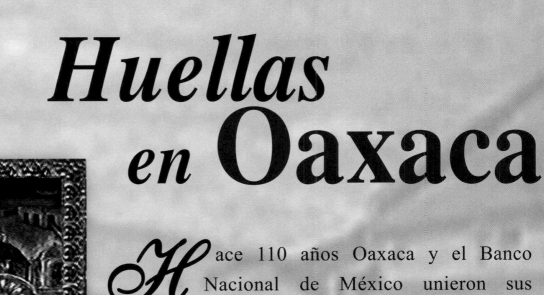

SCHRYVER

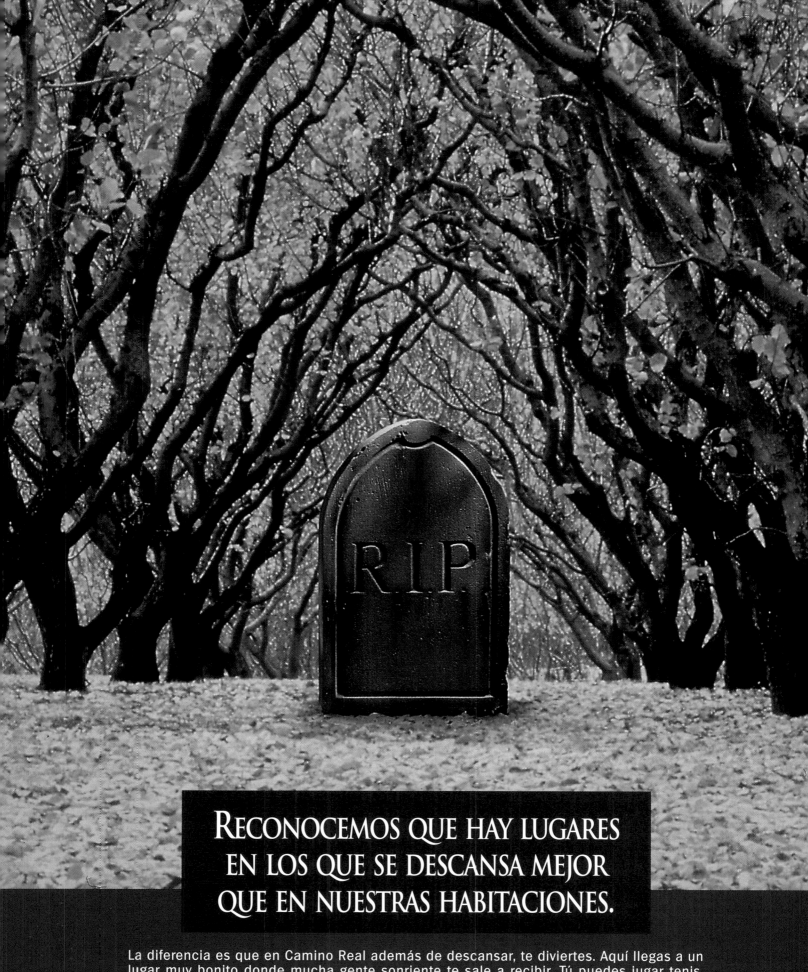

GRUPO
ENOLÓGICO
MEXICANO

CONOCER ES NO EXCEDERSE.

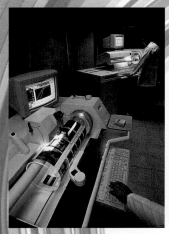

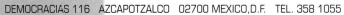

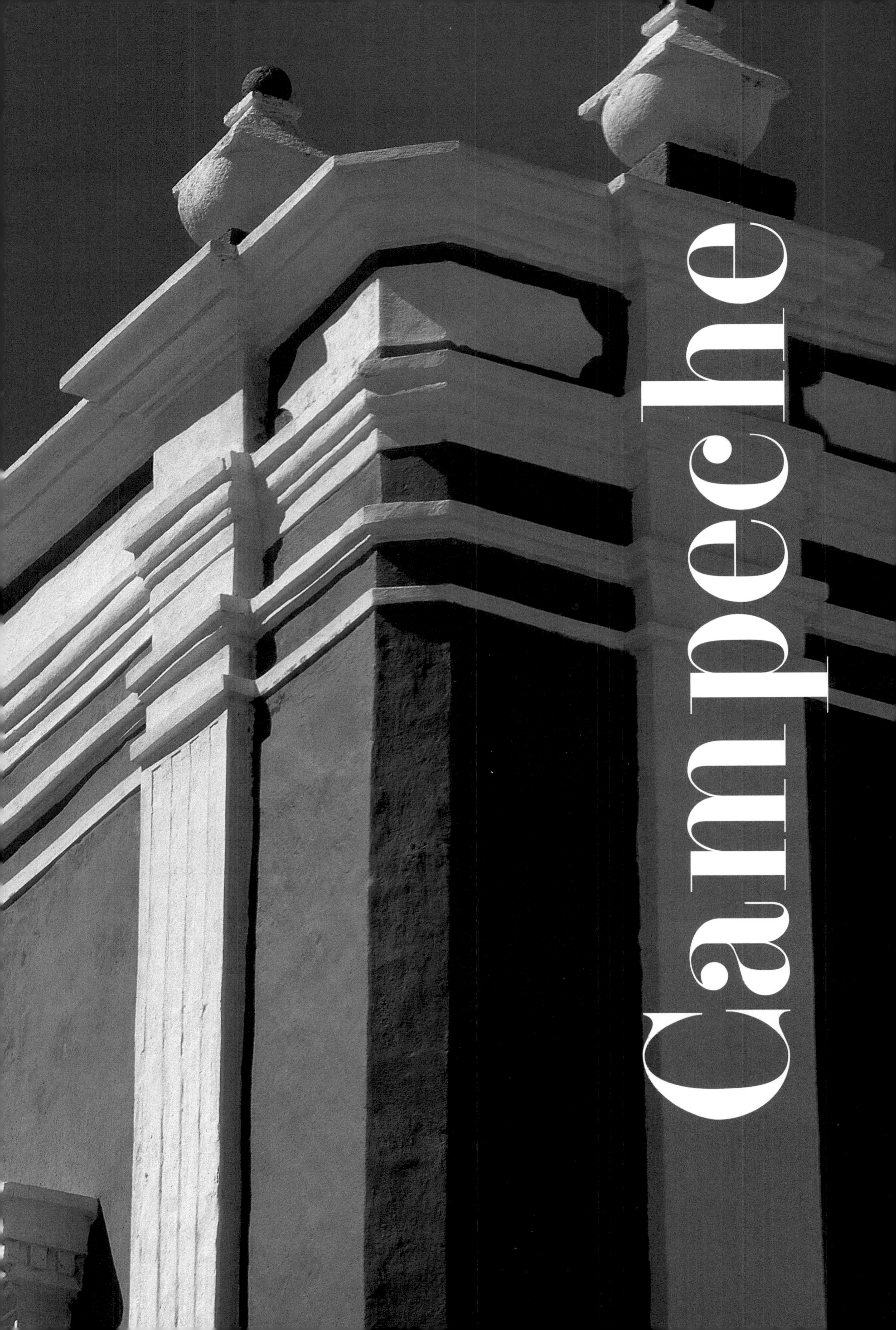
Campeche

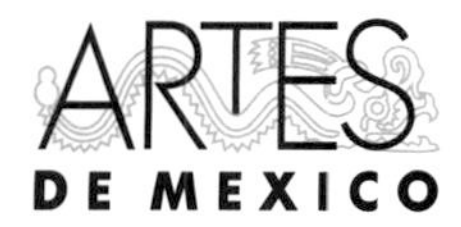

Revista libro número 46
Año de 1999
Fundada en 1953 por
Miguel Salas Anzures y
Vicente Rojo

Director General
Alberto Ruy Sánchez Lacy
Subdirectora
Margarita de Orellana
Gerente de Administración
Teresa Vergara
Jefa de Redacción
Ana María Pérez Rocha
Jefe de Diseño
Luis Rodríguez
Jefa de Producción
Susana González Ruiz
Secretaria de Redacción
Sandra Luna
Diseño
Elisa Orozco
Héctor Hernández
Estela Arredondo
Edición en Inglés
Michelle Suderman
Asistente de Redacción
Eduardo González
Corrección
Stella Cuéllar
Gabriela Olmos
Elsa Torres Garza
Richard Moszka (inglés)
Traducción
Lisa Heller
Jen Hofer
Jessica Johnson
Richard Moszka
Wendy Patterson
Publicidad
Yolanda Aburto
Laura Becerril
Héctor Cash Carmona S.

OFICINAS Y SUSCRIPCIONES
Plaza Río de Janeiro 52
Colonia Roma
México, D. F. 06700
Teléfonos:
5525-5905, 5208-4503
5525-4036, 5208-3205
Fax: 5525-5925
www.artesdemexico.com
Correo electrónico:
artesmex@internet.com.mx

IMPRESIÓN
Reproducciones
Fotomecánicas, S.A. de C.V.
Impreso en papel Creaprint de 135 gramos, Torras Papel, comercializado por Unisource, S.A. de C.V. y encuadernado en Encuadernadora Mexicana, S.A. de C.V.

CONSEJO DE ASESORES
Alfonso Alfaro
Luis Almeida
Homero Aridjis
Juan Barragán
Huberto Batis
Fernando Benítez
Alberto Blanco
Antonio Bolívar
Rubén Bonifaz Nuño
Julieta Campos
Efraín Castro
Leonor Cortina
José Luis Cuevas
Salvador Elizondo
Cristina Esteras
Manuel Felguérez
Beatriz de la Fuente
Carlos Fuentes
Sergio García Ramírez
Concepción García Sáiz
Teodoro González de León
Andrés Henestrosa
José E. Iturriaga
Miguel León-Portilla
Jorge Alberto Lozoya
Alfonso de Maria y Campos
José Luis Martínez
Eduardo Matos Moctezuma
Vicente Medel
Álvaro Mutis
Bruno J. Newman
Luis Ortiz Macedo
Brian Nissen
Ricardo Pérez Escamilla
Jacques Pontvianne
Pedro Ramírez Vázquez
Vicente Rojo
Federico Sescosse L.
Guillermo Tovar
José Miguel Ullán
Juan Urquiaga
Héctor Vasconcelos
Eliot Weinberger
Ramón Xirau

ASESORÍA ICONOGRÁFICA
Roberto Mayer

ASAMBLEA DE ACCIONISTAS
Víctor Acuña
Cristina Brittingham de Ayala
Mita Castiglioni de Aparicio
Armando Colina Gómez
Margarita de Orellana
Olga María de Orellana
Ma. Eugenia de Orellana de Hutchins
Octavio Gómez Gómez
Rocío González de Canales
Michèle Sueur de Leites
Bruno J. Newman
Jacques Pontvianne
Abel L. M. Quezada
Alberto Ruy Sánchez Lacy
José C. Terán Moreno
José Ma. Trillas Trucy
Teresa Vergara
Jorge Vértiz

CONSEJO DE ADMINISTRACIÓN
Presidente
Alberto Ruy Sánchez Lacy
Vice Presidente
Jacques Pontvianne
Consejeros
Octavio Gómez Gómez
Phillip Hutchins
Bruno J. Newman
Margarita de Orellana
Abel L. M. Quezada
Enrique Rivas Zivy
Jorge Sánchez Ángeles
Teresa Vergara
Comisario
Julio Ortiz
Secretario
Luis Gerardo García Santos Coy

INSTITUTO DE INVESTIGACIONES ARTES DE MÉXICO
Director
Alfonso Alfaro

FOTOGRAFÍA
Portada:
Patricia Tamés
Interiores:
Lourdes Grobet: 53.
Gerardo Hellion: 6, 7, 10, 14, 15, 17, 18, 20, 21, 22 (abajo), 23, 24, 26, 27, 33 (abajo), 37, 38 (abajo), 39, 40, 41.
Gerardo Suter: 21 (abajo), 49, 66, 62 (arriba).
Patricia Tamés: 1, 22 (arriba), 30, 33 (arriba), 34, 35, 36 (abajo), 38 (arriba), 41 (abajo), 47, 60, 61, 62, 67 (abajo), 72, 74 (arriba), 75, 77, 79.
Jorge Vértiz: 11, 19, 25, 28, 29, 36 (abajo), 42, 43, 44, 45, 46, 54-55, 56, 57, 58-59, 63.
Michel Zabé: 68, 69, 78.
Cortesía del Archivo General del Estado de Campeche: 50 (arriba), 51, 52.

Artes de México es una publicación bimestral de Artes de México y del Mundo, S.A. de C.V. Miembro núm. 127 de la CANIEM. Certificado de Licitud de Contenido núm. 55. Certificado de Licitud de Título otorgado por la Comisión Calificadora de Publicaciones y Revistas Ilustradas núm. 99. Reserva de Título núm. 04-1998-061720262000-102.
Como revista: ISSN 0300-4953.
Como libro: ISBN 968-6533-86-9.
Distribuida por Artes de México y DIMSA, Mariano Escobedo 218, C. P. 11370 México, D. F. Julio de 1999.

COORDINACIÓN EN CAMPECHE
Teresa González Kuri
Alfonso Esquivel

AGRADECIMIENTOS
GOBERNADOR DEL ESTADO DE CAMPECHE
Antonio González Curi
DIRECCIÓN DE SITIOS Y MONUMENTOS HISTÓRICOS
José Buenfil Burgos
INSTITUTO DE CULTURA DE CAMPECHE
Alfonso Esquivel
Gabriel López
CENTRO INAH, CAMPECHE
Carlos Vidal
José Aguilar Cab
Marte Guerrero
Karina Romero
ARCHIVO GENERAL DEL ESTADO DE CAMPECHE
Rafael Vega Alí
Gaspar Cauich Ramírez
Martín Medina
ARCHIVO MUNICIPAL DE CAMPECHE
Jacqueline Briseño
Jorge Trujeque
ARCHIVO PARROQUIAL DE CAMPECHE
Ney Canto
CASA DE LA CULTURA JURÍDICA
Emilio Rodríguez
Nayla Pérez
INSTITUTO DE INVESTIGACIONES ESÉTICAS/UNAM
Ma. Teresa Uriarte
Beatriz de la Fuente
Leticia Staines
Tatiana Flacón
FOTOTECA DEL INAH, PACHUCA
Juan Carlos Valdés Marín
Heladio Vera
Olga Salgado
Dolores Lanz de Ortiz
Carlos Ortiz
Diana de la Peña
Laura Ramírez de Guerrero
Juan Carlos Saucedo
Jorge Hurtado
Nelly Paz
José del Carmen Casanova
Ramonita Medina
Francisco Hernández
Roberto y Vera Mayer

Nuestra Portada

Composición de la fotógrafa Patricia Tamés del edificio conocido como "El Polvorín", depósito de pólvora del antiguo sistema de defensa de Campeche. Es síntesis de los grandes poderes seductores de la ciudad: tiene la geometría de la arquitectura militar y la textura y el colorido de la arquitecura civil. Es por ello el elmblema de la fascinación que ejerce Campeche. Aquí se presenta con colores iguales a los encontrados en los muros durante las excavaciones de investigación. Recrea, por lo tanto, el colorido original que parece esconder al edificio igualándolo con el cielo.

La ciudad baluarte del asombro

Las ciudades amuralladas tienen siempre una magia especial. Nos asombran y luego nos hablan de una vida urbana que tenía otras formas cotidianas. Nos dicen que ahí hubo un tiempo en el que todo se hacía de otra manera. En esas formas extrañas para la vida moderna podemos tocar el pasado. Las murallas que ahora se conservan en diversos países tienen, a su favor, el argumento del valor histórico. Las sociedades justifican conservarlas por ser huellas del pasado como hace poco justificaban destruirlas por su inutilidad en la vida moderna. Qué bueno que la historia sea argumento suficiente para algunos. Pero las murallas no son tan sólo sobrevivientes del pasado. Son presencia actual de una dimensión estética en la ciudad. Las murallas son importantes ahora también porque son bellas. Ojalá que el argumento estético reforzara cada vez más al argumento histórico en nuestras sociedades. La dimensión estética de la vida cotidiana es parte importante de la calidad de vida de una comunidad. Y no hay magia de una ciudad sin estética de la misma, por más valioso que haya sido su pasado. Es lo estético de una ciudad lo que, de entrada, nos invita al asombro. ✤ La ciudad de Campeche tiene, para comenzar, la magia de sus murallas, porque la lista de sus cualidades estéticas es muy amplia. La traza urbana del recinto amurallado ha sido conservada y recuperada. Eso nos ofrece un segundo motivo de asombro: el ámbito creado da la impresión de ser un espacio interno aunque sea externo. Estamos al aire libre pero estamos dentro de una construcción humana. El cielo, el sol, el viento, son el techo de esta armónica urbe intramuros. Ámbito ambivalente en el mejor sentido. Ámbito y ambiente que nos dan sus calles, con sus fachadas de ornamentos muy variados pero al mismo tiempo estilísticamente emparentados. Una explosión de colores diversos con una constante en la proporción y en la textura de

ALBERTO RUY SÁNCHEZ LACY

las casas. Unidad y diversidad de una ciudad bellísima. El esfuerzo hecho en los últimos años por restaurar este conjunto urbano ha sido muy importante y sus frutos están a la vista. La recuperación estética de Campeche es ejemplar y no sólo para México. ❖ Fuera de las murallas existen todavía varios baluartes y un polvorín. En el mismo esfuerzo han sido restaurados y son parte integrante del carácter maravilloso de la ciudad. Son construcciones asombrosas, bellísimas composiciones arquitectónicas: rasgos del rostro de Campeche. El mar es otro elemento peculiar aquí. Una calma superior lo define. Su color también nos habla de su levísima profundidad. Es un gesto de mar, una cortesía de la naturaleza. ❖ El carácter de la ciudad está en todo esto pero sobre todo está en su gente. Es una antigua ciudad asombrosamente viva. Su gente da al lugar un espíritu único. Su vida cotidiana diferenciada es su cultura: es cómo comen (tienen una de las cocinas más ricas y sofisticadas del país), cómo conviven, cómo trabajan, cómo son sus casas y las cosas dentro de ellas, cómo se reúnen o se separan, cómo crean obras de arte y artesanías. Y, cada vez más, una parte importante de su cultura es cómo están orgullosos de su ciudad, cómo se identifican con ella. Un sentimiento que se siente crecer al mejorar y cuidar cada uno la estética de su Campeche. La ciudad es, además, la puerta natural a un mundo de restos de ciudades mayas que crece en importancia cada día, al avanzar las investigaciones y restauraciones arqueológicas. ❖ Campeche es la gran sorpresa de México. Esta ciudad asombra a sus habitantes y asombra a sus visitantes. Merece, sin duda, estar en la lista de sitios atesorados en el mundo como Patrimonio de la Humanidad. Merece ser conocida y, con la delicadeza que se trata a una obra de arte, ser explorada estéticamente por los amantes de lo único y lo bello en el mundo. ❖

ucha contra eterno

HÉCTOR PÉREZ MARTÍNEZ

Todo tiene en Campeche un aire de inmutabilidad: las piedras y los hombres. La garra de los años no ha podido herir hondamente a mi vieja ciudad. Mantiénese como una grave dama venida a menos, recostada en el pasado como en un almohadón. No importa que el traje se haya deshecho, si por entre las rasgaduras asoma la pátina del tiempo, el matiz que le da antigüedad, el color que le presta un clima que no es de nuestra época. Junto al mar, que se renueva a cada instante, Campeche es el gesto de la eternidad, lo inconmovible, lo imperecedero. Se llega a la capital de mi estado como a un rincón donde una mano no ha puesto nunca la señal de lo nuevo. Uno va a encontrar al amigo de antaño padeciendo las mismas manías, yendo al parque cuando desde el reloj de la catedral se desgajan las ocho campanadas de la noche, a trabar la misma, pesarosa, lenta, invariable plática y a contemplar en el alto cielo la lluvia de las estrellas.

Se llega a Campeche como al hogar. Esas pinturas de la vida provinciana que a veces nos parecen exageradas sufren comprobación absoluta en Campeche. Es la provincia por excelencia: la provincia desnutrida de la vida que ruge más allá de sus propios límites; la provincia encerrada en sí misma, echada sobre su propio destino, lánguida e impasible.

Durante la Colonia, para preservarla de los ataques de bucaneros y corsarios, se le construyó un cíngulo de piedras. Una muralla la aisló del mar. Este sino del aislamiento la ha perseguido y le ha creado un complejo de introversión. El aire del mar penetra en las paredes y desintegra la cal. Es de mirarse cómo asoman por los muros las puntas de las piedras y cómo construyen un gesto huraño; cómo se corre desde la orilla de las azoteas un verdín espectacular que da a las fachadas un sombrío, lacerado aspecto. Los baluartes, tras de cuyas almenas los españoles resistieron las acometidas de los piratas, parecen defender esa viva ruina. No es de extrañar que la gente esté enferma de ruinas. Tal ambiente ha paralizado, también, el ímpetu con que el hombre sabe y debe renovarse. El hombre de Campeche está enfermo de soledad. Pasa un avión por el abierto cielo, seis veces cada semana. Un barco hiende las aguas de su mar una vez cada 30 días. Ésta es toda la comunicación que Campeche tiene con el resto del mundo. Nunca ha sentido la inquietud de vivir las premoniciones de poder adelantarse al futuro y hacer un juego de invención. Todo llega a mi ciudad en la forma fatal de lo irremediable, de lo acontecido. Y este íntimo drama hace más patético su aislamiento.

La vida de Campeche se nutre del monte y del mar. Llegan del primero las mieses: larga tarea del indio bajo el sol hostil. Cada grano de maíz arrancado a la piedra supone una espera doliente, como es doliente la faena del pescador en la espera sobre la líquida llanura. [...]

Campeche permanece impasible y eterno. Y hay que borrar ese gesto de eternidad; la vida es cambiante y deben seguirse sus vaivenes, ligarla a la suerte común; gozar por las dichas que nosotros no tenemos, las de nuestros hermanos. Así nuestro drama de soledad será menor, menos hondo, más compartido. Hagamos de Campeche un rincón, un hogar, pero abierto. Vamos a cruzar las murallas y a dilatar nuestro mundo. Olvidemos las leyendas y seamos un poco menos poetas de nosotros mismos. La vida es corta y dura. Y pienso que mi pueblo, por largamente dolorido, vibrará mejor en la sonrisa: mañana, pasado... Tomado de *En los caminos de Campeche*, 1940.

HÉCTOR PÉREZ MARTÍNEZ (1906-1946). Notable periodista, literato y político. Fue gobernador de Campeche. Su prolífica producción comprende diversos géneros.

ARRIBA: **Muralla y Puerta de Tierra. *Ca.* 1898. Fototeca del INAH.** ABAJO: **Vista parcial de la bahía.**

La campechanía

SILVIA MOLINA

Un viaje a Campeche cumple su propósito cuando el paseante descubre la plenitud de un término: "lo campechano". El misterio se despeja, como sugiere la autora, al andar, al comer, al charlar, al mezclarse... Porque mezcla es, en esencia, campechanidad.

Ana Luisa Martínez M.

No es fácil expresar mi relación con Campeche. Campeche es el pasado que nunca tuve (porque mi familia era de allá y nunca viví en el pueblo) y que, sin embargo, atrapé cuando fui entendiendo su historia y disfrutando de su gente. Pero, sobre todo, le pude dar forma a ese pasado cuando aprisioné los secretos de la ciudad.

Si te gusta alguien quieres conocerlo. Permanecerás enamorado mientras no pierdas la posibilidad de seguir descubriéndolo. Cada secreto que intuyes del otro es un nuevo motivo de deseo. Así pasa con las ciudades: uno las va queriendo más cuanto mejor presiente sus intimidades o vislumbra sus misterios. Campeche es una ciudad llena de aspectos que me seducen: la gente, la arquitectura, los sitios arqueológicos, la geografía, el mar, la comida, el folklor, la artesanía.

Si digo: "Campeche es preciosa", nadie puede imaginarse la belleza de la ciudad. En cambio, si llevo a un amigo y le explico: "En aquella casa colonial nació don Justo Sierra, el maestro de América. Mira la puerta, es de la época en que se construyó", la memoria de mi acompañante retendrá más la casa y la puerta ya no será sólo una obra de arte, sino además, precisamente, la de la casa de don Justo Sierra. Y ya podrá imaginarse a alguien en concreto cruzando ese pórtico como si nada. ¿No es cierto que cambia la apreciación? Mi amigo dirá, luego de la visita, cosas como la siguiente: "Fui a donde venden los mejores dulces de miel. No te imaginas lo que es la Puerta de Tierra. Conocí las casas de los tenientes del rey. Estuve en el lugar donde se dijo la primera misa en lo que después sería nuestro país".

La ciudad intramuros es única en México. Yo suelo recorrerla de día metiendo las narices en todas las casas y todos los comercios por el simple placer de descubrir los arcos, los muros, los muebles antiguos, y de noche la camino por el solo placer de ver su perfecta geometría alumbrada por los faroles de las casas. Te paras en una esquina y, como no hay ningún poste que te estorbe, puedes ver las calles empedradas de principio a fin con la hilera de casas que habitaron los marinos y los comerciantes y que hoy tienen la suerte de disfrutar algunas familias.

Las casonas intramuros fueron casas de negocios, por eso no gozan de jardines ni de árboles como las de los barrios extramuros, pero impresionan por los patios y la cantidad de habitaciones que esconden; a veces tienen hasta dos o tres pisos y varias bodegas que almacenaban el palo de tinte o las mercancías que llegaban en los barcos. Se construyeron así porque la ciudad protegida, donde vivía la gente adinerada, era realmente estrecha. Cuentan que por eso cuando los piratas atacaban, las mujeres se escondían en los pozos, y que había todo un sistema de pasadizos subterráneos bajo la ciudad (sobre todo uno que iba de la catedral a los cerros). Por eso también en Campeche se usa que los hombres sean quienes vayan al mercado, pues así no exponen a las mujeres. Los hombres de mi tierra, por tradición, saben si una fruta está en su punto, si un pescado está fresco, si una verdura se podrá guardar dos o tres días.

Una casa intramuros deja de ser una hermosa casa cualquiera si sabemos que allí vivía el teniente del rey, o que allí durmió la emperatriz Carlota.

Cuando llevo a un amigo a Campeche, suelo mostrarle la casa donde hoy se encuentra el Archivo de la Suprema Corte de Justicia, para que admire el desfile de cuartos, uno tras otro con sus pisos de mármol ajedrezado o floreado, el patio central, los arcos moriscos, las puertas enmarcadas en trabajos de madera insospechados, la he-

IZQUIERDA: **Libro de tomas de razón de títulos profesionales. Núm. 5. Foja 51. Archivo General del Estado de Campeche.**

ARRIBA: **Últimas casas del barrio de San Román. Postal de 1913. Colección particular.**

rrería de las ventanas. Quien descubre el interior de las casas, como aquélla donde está la Casa de las Artesanías, puede imaginar cómo vivían sus moradores y hacer suya una parte de esa belleza.

La ciudad también tenía sus manzanas pobres, hacia los barrios de San Román y Santa Ana, donde vivían los empleados o la gente con poco dinero. Esas casas no dejan de ser bonitas, pero son, desde luego, más pequeñas.

Campeche resulta inesperada para quien nunca la ha visitado, porque no sólo tiene el encanto colonial y la muralla, sino porque nadie se imagina que pueda estar tan bien conservada. Se come los años o quizá, por el contrario, los años la hacen lucir más gallarda.

Para conocer la ciudad bastan dos días, aunque para disfrutarla no alcanzaría un mes, pero con esa probadita, cualquiera queda hechizado y atraído a regresar y regresar y regresar hasta creer que la conoce. Ya he hecho la travesura de llevar a alguien un fin de semana, y es la hora en que no deja de agradecerme el regalo.

Nada más con respecto a la gastronomía, en dos días sólo se pueden hacer seis comidas, cuando la cocina del estado es tan vasta que un solo pescado, el pámpano, puede cocinarse de más de cien formas distintas. Es justa su fama de ser de las más ricas y sabrosas de toda la República, pues tiene de dónde escoger: mar, río, monte, selva. A ver, tentemos a un *gourmet*: para abrir apetito qué tal unas manos de cangrejo moro o un coctel de camarones o esmedregal a la cazuela o arroz con jaiba o pámpano en *pochuc* o pipián de venado o *kol* de pavo del monte o cochinita pibil...

Y no voy a nombrar antojitos como los panuchos y el pan de cazón, ni dulces como las pastas de chicozapote o zapote negro, porque no acabaría nunca. Pero a mis amigos les hago siempre un itinerario gastronómico. En Campeche se come bien en cualquier lugar, así que se puede gastar poco o se puede gastar mucho, pero de todas maneras disfrutar un banquete: puedes comer en el mercado o en La Parroquia o en los restaurantes del centro, pero no te brinques una cenita en la cenaduría Los Portales, del barrio de San Francisco, ni mucho menos te saltes atravesar la calle para tomar un helado de coco o mamey o guanábana del carrito de don Efraín. Pero para comer en los mejores restaurantes de Campeche la ruta gastronómica no debe dejar fuera los siguientes: Barbillas, Ceiba, La Almena, Miramar, Marganzo Regional, La Uva, Morga y, por supuesto, La Pigua.

Todas estas maravillas tiene mi tierra, pero su principal atractivo es la gente. Pisas tierra y estás en el reino de la confianza, de la seguridad, de la gentileza, de la alegría, de la campechanidad, pues.

En Campeche la gente no tiene prisa, no sufre estrés, no anda malhumorada, no te dice: "A ver cuándo nos vemos". Te cita en el café, en la heladería, en el parque de la plaza, en el malecón, o la encuentras en la Calle 10, en el Café Poquito, en el correo o en el banco y siempre tiene tiempo de hablar contigo. Te encamina a donde vas, o de allí a tomar un café no hay más que decirlo. Puedes conversar con un campechano horas y horas, y no te aburres por su desparpajo, su tendencia a la broma, su facilidad para adornar la conversación con dichos y ejemplos divertidos.

Campeche se llama así porque Francisco de Montejo, hijo, fundó la villa española a un lado del poblado indígena llamado Ah-Kin-Pech, que estaba en la provincia maya llamada Campech. La villa española tuvo otros nombres como San Lázaro, Salamanca de Campeche y San Francisco de Campeche hasta que volvió al original, con el que bautizaron los españoles, por su mal oído, al lugar

IZQUIERDA Y ABAJO: **Ananías Chan Cocón. Sin título.**

maya que hoy es conocido en el mundo de habla hispana por el adjetivo campechano (na).
"Campechano" dice el diccionario, "equivale a ser franco, estar dispuesto para cualquier cosa, para cualquier broma o diversión". Agrega: "Se dice de alguien que se comporta con llaneza y cordialidad sin importar distancia en el trato". Insiste "dadivoso". Termina "afable, sencillo, que no muestra interés alguno por las ceremonias y formulismos". Así, de veras, es mi gente.
Tú imagínate que dejas la vida rápida y complicada de una ciudad como la de México, llena de tránsito, de edificios que se te vienen encima, donde respiras una nata que te inflama la garganta y hace que te lloren los ojos, y llegas a una ciudad apacible y alegre, muy bonita y que, como si fuera poco, tiene un cielo azul cobalto y una puesta del sol rojiza. La ciudad te recibe con franqueza porque sus habitantes estarán dispuestos a compartir contigo lo que tienen por poco o mucho que sea.
Campechano también es sinónimo de mezcla, porque los campechanos se mezclaban en las comidas y en las fiestas sin importar la condición social. En la casa de mi abuela, por ejemplo, si el aguador llegaba a vender el agua a la hora de la comida, se le invitaba a comer. Si aceptaba, no se le hacía el feo de conducirlo a la cocina, pasaba a la mesa que la abuela presidía con señorío y nobleza: con una campechanía que no tienen otros pobladores de la República. Después de la comida, venía el trato: él vendía y la abuela compraba.
Las "nanas" de la abuela, ya lo he contado, tendrían sus habitaciones en el último patio de la casa y harían la comida y lavarían la ropa, pero en la vida diaria eran como unas tías más, y a una fiesta de San Román iban estrenando vestido, rebozo, zapatos y joyas de oro y coral que mi abuela les regalaba, y se sentaban en la mesa del merendero con ella a jugar a la lotería o a probar los antojitos o los helados. La mezcla no causaba conflicto, confusión, sentimientos encontrados.
En las fiestas populares y en los saraos y las ferias la gente se mezclaba con naturalidad. Todavía ahora en muchos lugares se ve a la gente del pueblo compartiendo con la gente adinerada un mismo lugar. Sin ir más lejos, ahora puedes ver al gobernador del estado en la cenaduría de Los Portales de San Francisco merendando a un lado de la mesa de un comisario ejidal que fue a plantearle algún asunto, o de un abarrotero o un empleado del correo o de unas muchachas de sociedad que toman algo antes de irse a la disco. Por eso, cuando en un bar se pide una bebida mezclada se pide campechana. Un coctel de mariscos campechano es una mezcla de mariscos. Y así, pues, lo campechano también es lo incorporado, lo revuelto, lo que se combina y guarda el equilibrio o se vive con espontaneidad.
¿Una apuesta? El que visite Campeche por primera vez, volverá.

SILVIA MOLINA. Autora de novelas, ensayos, relatos breves y cuentos infantiles. Merecedora de importantes reconocimientos: Premio Xavier Villaurrutia (1977), Premio Nacional de Literatura Infantil Juan de la Cabada (1992), Premio Sor Juana Inés de la Cruz (1998).

Eso era Campeche para mí: una familia, una manera de ser, una comida cuyo sazón tenía un poco de mar, una pizca de monte, una cucharadita de selva; una música que arrullaba como las olas, que dibujaba las murallas, que se movía como las palmeras, que halagaba a las mujeres; una fruta con aromas tropicales, una ropa de fiesta, unas joyas de reina; y un mar que me llamaba en nombre de mis antepasadas para que me reconociera en él, para que no me sintiera huérfana. ***Silvia Molina,*** **Campeche,imagen de eternidad, *p. 28.***

EN ESTAS PÁGINAS: **Gerardo Hellion. Sin título. De la serie *Retratos*.**

El traje de campechana

El traje regional de las mujeres campechanas es mestizo y tiene su origen en el estreno. Las mujeres solían estrenar cuatro veces al año: en el carnaval y en las fiestas de san Juan, san Román y la Purísima Concepción.

Mi bisabuela Isidra Canabal (soy sobrina de Garrido Canabal) entregaba a su servidumbre tres ajuares completos durante esas celebraciones porque eran las de mayor relevancia en un tiempo en el que la sociedad no tenía mucho qué hacer (como ahora). Esas fiestas eran las esperadas, las indispensables para cumplir con el ciclo religioso y popular (y siguen siéndolo). Asueto, esparcimiento y ritual, servían para olvidar las diferencias sociales (ya no). Todos eran uno caminando por el malecón, las plazas, las calles. Lo que se dice un coctel campechano.

Para el carnaval de febrero de 1854, en el cuaderno de cuentas de mi bisabuelo Santiago Martínez, aparece como "gasto" de mi bisabuela María del Carmen Alomía, un juego completo de joyas para las "crianzas", es decir, su servidumbre. Entre las joyas que regalaban las patronas, las más usuales eran un collar de coral

con remate de cruz de filigrana o una cadena salomónica con guardapelo de filigrana que podía tener moneditas de oro colgando de cad lado, y anillos y aretes de oro o coral. ꕥ En el mes de junio de ese mismo año, aparece la cuenta del gasto para las fiestas de san Juan tres rebozos para cada una de las sirvientas de mis bisabuelos: uno de vestir, otro de abrigo y otro más para el diario. Y para la fiesta d san Román, entregaron al servicio tres juegos de ropa: un vestido de fiesta y dos de trabajo. ꕥ El vestido de fiesta era de gala: corpiñ de nansú, blusa con alforzas en el frente, rebordada con punto de cruz en forma de triángulo con el vértice hacia la cintura, que tení también bordado en blanco y negro y en punto de cruz el cuello y las mangas; fustán blanco con estribilla, saya de raso o brocado co blondas de sayuela. Y, finalmente, para la fiesta de la Purísima Concepción, el 8 de diciembre, la bisabuela les dio un par de botines, una sandalias de charol y otras de piel para el trabajo. ꕥ El traje de lujo de la servidumbre campechana pasó a ser, precisamente, el traj regional, el traje de mestiza, aunque ahora ha variado. Ya no se usan las blondas de sayuela sino olanes de encaje y lazos o tira bordad entretejida con pasamanerías y listones que hacen juego con el color de la saya y el rebozo; y el bordado de la blusa, aplicado, lleva al frente por lo general, el escudo de Campeche. Y las muchachas van heredando las joyas de la familia que son parte del vestido. ¿Cómo no iba y a querer un traje de campechana, si mi abuela, mis tías y mi prima tenían el suyo para las fiestas, y lucían sus cadenas salomónicas? ꕥ

Silvia Molina, *Campeche, imagen de eternidad*, pp. 27-28

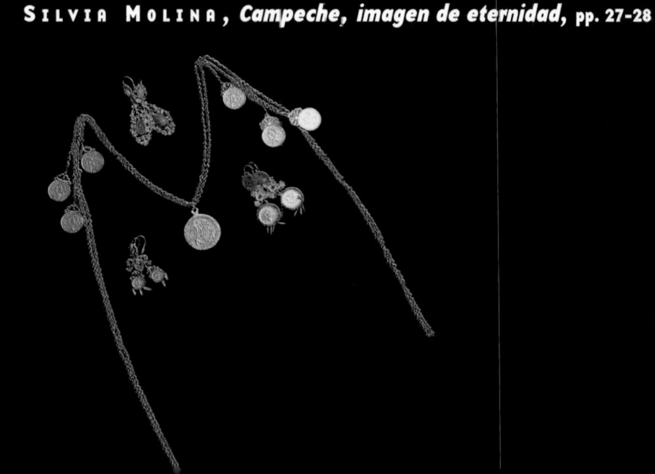

EN ESTAS PÁGINAS Ajuar de campechana. Col. Ortiz Lanz

Un día en la vida de Campeche

HERNÁN LARA ZAVALA

¿Cómo pasar un día con su mañana, su tarde y su noche en una ciudad donde el mar no quiere hacer ruido y el tiempo parece escurrirse en la muralla? El autor propone un itinerario para descubrir la intensa vitalidad de un pueblo de poetas, gastrónomos, conversadores, bohemios, amigos, en fin, de campechanos.

Me levanto muy temprano y abro las cortinas. Frente a mí se despliega la plácida bahía. En Campeche ni el mar se mueve. Es una ciudad única que, intramuros, se encuentra detenida por el tiempo y que ha logrado mantener su carácter criollo y vetusto; de frente luce un bello mar verde acerado tan quieto como un plato. Alcanzo a ver tan sólo un cayuco con uno o dos pescadores y algunos pelícanos suspendidos por los aires. Me gusta hospedarme en el hotel Baluartes, en el cuarto piso, porque allí me siento en una atalaya desde donde he admirado esa tranquila y silenciosa bahía durante innumerables mañanas. "¡A las armas valientes campechanos!" Así inicia Justo Sierra O'Reilly su relato *Los filibusteros,* en el cual contará la historia del amor entre el temible pirata Diego el Mulato y la dulce y convencional Conchita en la más pura vena romántica que él aprendió, ni más ni menos, que de sus lecturas de Victor Hugo. Qué fácil resultaba para esos rudos hombres, piratas y bucaneros acostumbrados a mares procelosos, desembarcar en esas tranquilas aguas bajas, como bien lo asienta Héctor Pérez Martínez en sus *Piraterías en Campeche*.

Me doy un baño rápido y salgo, sin desayunar, rumbo al mercado que ahora se encuentra fuera de la muralla pero que antes estuvo junto al malecón. La leyenda dice que en Campeche se hizo costumbre que los hombres fueran los encargados de ir al mercado para evitar que se robaran a sus mujeres durante los ataques piratas tan frecuentes como sorpresivos. Son apenas las siete de la mañana. Al salir del hotel resultaba cegadora la intensidad de la luz. No hay mucha gente en la calle y ya se siente el calor. Camino con paso acelerado, cruzo la Puerta de Mar y me enfilo por la calle 50 hasta la calle 12. Allí doy vuelta a la izquierda y tomo por la calle 55 rumbo al mercado Pedro Sáinz de Baranda. Mientras camino atisbo los umbrales de las casas con sus puertas y ventanas siempre abiertas, sus frescos pisos de mosaicos blanco y negro, sus mecedoras de bejuco cerca de la entrada para que entre el "fresco". Recuerdo que en una ocasión a Aída, mi mujer, y a mí nos sorprendió una lluvia en pleno mediodía. Para protegernos nos detuvimos bajo el techo de una de esas casas con las puertas abiertas de par en par. Alguien nos interpeló. Pensamos que estábamos causando alguna molestia y rápidamente nos fuimos de allí. La lluvia arreció y nos vimos en la necesidad de volver a cubrirnos en el pórtico de otra casa adaptada como oficina. Esta vez se acercó una mujer y sin mayor preámbulo nos pidió que entráramos. Nos invitó a sentarnos, prendió el ventilador y hasta nos ofreció un refresco. Después concluimos que, cuando nos detuvimos la primera vez, lo que quería quien nos llamaba era precisamente conminarnos a pasar para que pudiéramos "guardarnos" de la lluvia. Así son los campechanos.

Llego al mercado y me dirijo de inmediato a donde venden las especias. El puestito consiste de un pequeño módulo y lo atiende un solo hombre rodeado de frascos abiertos que despacha lo que a gritos le piden sus clientes: pimienta molida, achiote, laurel, clavo, pepita de calabaza, comino, recaudo para relleno negro o relleno blanco, y que él va sirviendo de pomo en pomo con extraordinaria destreza auxiliado de una cucharita como un viejo alquimista. Cuando acaba con un cliente mete sus paquetitos en una bolsa y atiende al que sigue. Me toca mi turno y compro un kilo de orégano que, según los conocedores, es de lo que se alimentan los venados de la región, de ahí el delicioso y único sabor de su carne. Compro también achiote para la cochinita pibil y pasta de pepita molida para los papadzules. Me dirijo a los puestos de

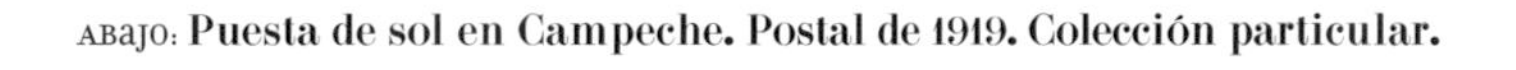
ABAJO: **Puesta de sol en Campeche. Postal de 1919. Colección particular.**

fruta para comprar chicozapotes —más claros y más grandes de los que llegan a la capital— ya que, lástima, no es la temporada de los incomparables saramuyos; pido que me los empaquen en una caja porque son muy delicados. De allí me dirijo a comprar un litro de miel de flor de dzidzilché y al salir le compro un kilo de chiles habaneros a una de las mestizas que exhiben su mercancía en montoncitos sobre el piso. Ahora me encuentro en una encrucijada: desayuno allí mismo, en el mercado, en el puesto de la Güera, unos tacos de cochinita con horchata, o me vuelvo al hotel. Opto por lo segundo y regreso caminando con mi cargamento.

Dejo mis cosas en mi habitación que de inmediato se inunda de olores tropicales y bajo al restaurante El Bucanero donde, además de los clientes del hotel, ya se encuentran reunidas las diversas tertulias que día a día se dan cita allí para desayunar y resolver los problemas del orbe. Saludo al doctor Manolo Gantús y a su grupo, todos afectuosos, y sólo lamento que ya no se encuentre entre ellos El Campechano, que solía decir que si un día no lo veían allí a las nueve de la mañana en punto le mandaran poner su esquela. Y así fue. Un buen día, sin más, ya no asistió. El querido Campechano, mejor conocido como "el Campe", llevaba en su apodo la bonhomía de su carácter y él solito representaba la parte por el todo pues era el campechano entre los campechanos. Nadie olvida su célebre café Los Murmullos, donde invitaba a desayunar a sus amigos huaches que llegaban a la ciudad. "¿Qué se les antoja —preguntaba— pan bueno, tamales, chicharrón, jugo de naranja?" Y tan pronto le contestaban le decía a su sobrino: "Ya oíste lo que quieren los señores, vete a traerlo aquí al lado y rapidito que no quiero que se vaya a enfriar". Él nunca tenía nada preparado. Ahora me siento a desayunar en el Baluartes y pido unos huevos motuleños, especialidad del lugar. Tan pronto termino me despido de los amigos y salgo rumbo a la catedral donde visito a mi amiga Ney Canto que se encarga de ordenar y organizar el archivo parroquial y que me muestra unos documentos sobre mi antepasado Benigno Lara y los indios pacíficos del sur. Dejo a Ney arreglando sus documentos y voy a visitar a Rafael Vega al Archivo General del Estado. Conversamos un rato y luego caminamos hasta el extemplo de San José donde en otros tiempos se exponían las pinturas de Joaquín Clausell. Lástima grande que ya no se encuentren allí, pues, según me explicó Víctor Sandoval, no hay las condiciones museográficas para conservarlas adecuadamente. Es casi la una, así que invito a Rafael a que tomemos una cerveza. Caminamos hasta la calle 53 y entramos a un lugar cuyo letrero afuera dice "Bar Paco". El Ojoepulpo, como se conoce popularmente a esta cantina entre los lugareños, es una de las más feas que he conocido. Y no obstante, su ambiente lo hacen los jóvenes poetas y narradores que han establecido allí su cuartel general, como Enrique Pino Castilla, Carlos Badillo, Alejandro MacGregor, Eutimio Soza y Sergio Witz que, entre botana y botana, empiezan tomando cerveza y terminan bebiendo fuerte bajo la aquiescencia de don Beto, el dueño del lugar que está siempre pendiente de sus parroquianos.

Salimos del Ojoepulpo y me despido de Rafael. Ahora me acompañan Alejandro MacGregor y Rubí, su esposa, a quienes les comento que me gustaría conocer al poeta de la ciudad, Humberto Herrera Baqueiro. Nos enfilamos rumbo al centro para buscarlo cuando de súbito Rubí me dice "allí va". Veo a un hombre mayor tratando de cruzar la calle. Sube la acera con sigilo, da tres pasos y, con la mano extendida, logra tocar la pared. Vi cómo palpaba la piedra, la reconocía, como cerciorándose de que estaba

ARRIBA Y PÁGINA SIGUIENTE, ARRIBA: **El mobiliario europeo sigue presente en muchas casas campechanas.**

ABAJO: Vitrales en arcadas, detalles de madera tallada en puertas y ventanas, pisos de mosaico: elementos decorativos campechanos.

ARRIBA: Detalle del interior de la Casa 6. ABAJO: Fachada de la Casa 6, ubicada en la plaza principal.

donde debía de estar: "Estoy en el umbral de vieja puerta/a merced de la sombra/que cobra vida en la baldosa muerta".

Entonces se recarga en el muro en actitud de espera. Nos acercamos a él. Rubí pronuncia su nombre y él se vuelve sorprendido hacia nosotros. Rubí me lo presenta y al saludarme él me dice: "Perdone usted pero soy invidente".

Antes de las tres de la tarde, en compañía de Pino y de MacGregor vamos a comer a La Pigua en el malecón. Pedimos unas muelas de cangrejo moro y yo me como el más tradicional de los platillos campechanos: pan de cazón con su chile habanero de bonete. Al salir me despido de ellos y camino solo rumbo al hotel. A pesar de lo candente del sol me gusta caminar por Campeche, sobre todo por las calles 10 y 12.

Es la hora de la siesta, cuando la canícula está en su apogeo, en pleno bochorno, así que la ciudad se encuentra totalmente desierta. Cruzo la pequeña plaza que un día estuvo cubierta de mármol de Carrara y que se dice se llevó a su casa el gobernador Ortiz Ávila.

El mármol en Campeche era frecuente pues lo traían en calidad de lastre los barcos italianos que llegaban a comprar palo de tinte. Cuando paso cerca del hotel Campeche, ubicado en la esquina de la calle 8 y la 57, muy cerca de la Puerta de Mar, recuerdo que en esa casa de dos pisos, pintada ahora de color azul, vivió el jurisconsulto y novelista don Justo Sierra O'Reilly durante algunos años y allí nació su hijo Justo Sierra Méndez en lo más nutrido de la Guerra de Castas. Y es que Campeche es también una ciudad en la que desde siempre han proliferado los poetas y los abogados.

Recuerdo que Vasconcelos decía que mientras en el norte del país todo el mundo aspiraba a ser rico, la ambición de cada alumno del Instituto Campechano era llegar a ser un gran poeta. Fue allí, en esa casa azul, durante la revolución civil de agosto del año de 1857, que Sierra O'Reilly fue atacado por un grupo de opositores políticos que quemaron sus archivos y saquearon su biblioteca. ¡Pobre don Justo, lo que debe haber lamentado la pérdida de sus libros y documentos, ya no digamos de sus escritos!

Llego al hotel y me acuesto a dormir una siesta. Despierto un poco antes del crepúsculo y contemplo el mar. Muchas, muchas veces, al ponerse el sol, he buscado afanosamente el famoso rayo verde. También ahora. Observo cómo desciende el sol sobre las aguas y concentro toda mi atención para ver si tengo suerte. Pero en vano. Nunca he logrado verlo. Entonces me consuelo con las palabras del poeta de la ciudad que dice: "Y se embija la tarde/con el rayo verde que declina/clavado al corazón del astro que arde..."

Me vuelvo a dar un baño. Ya es de noche. Pino Castilla pasa por mí en su coche para que vayamos a merendar al barrio de San Francisco. Subo a su auto y llegamos a la bella plaza de San Francisco donde el papá del Campechano tenía su taller de sastre. Nos sentamos en los portales y pedimos unos panuchos y unos sincronizados admirando la bella torrecita almenada de la plaza. En el trayecto de regreso vemos a una familia que juega a la lotería afuera de su casa aprovechando que ya ha refrescado un poco y me parece oírlos cantar: "un martillo, dos palomas, tres piñas..."

HERNÁN LARA ZAVALA. Escritor de ascendencia campechana. Es autor, entre otras publicaciones, de *Cuentos escogidos* (Seix Barral, 1997) y de *Viaje al corazón de la Península* (CNCA, 1998). Actualmente es coordinador del Centro de Estudios Literarios del Insituto de Investigaciones Filológicas de la UNAM.

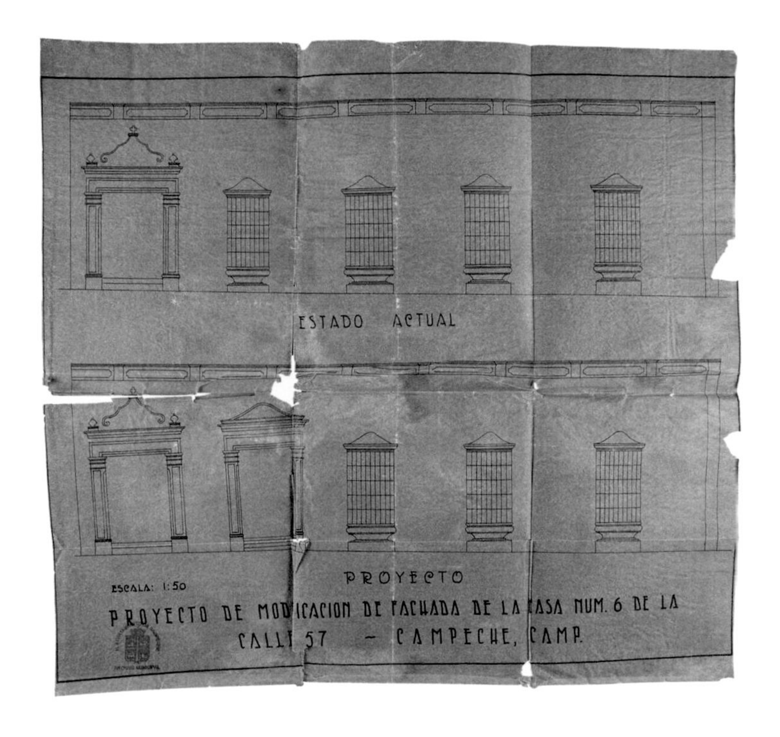

ARRIBA: Proyecto de remodelación de la Casa 6. Archivo Municipal de Campeche.

mundos

La lotería campechana

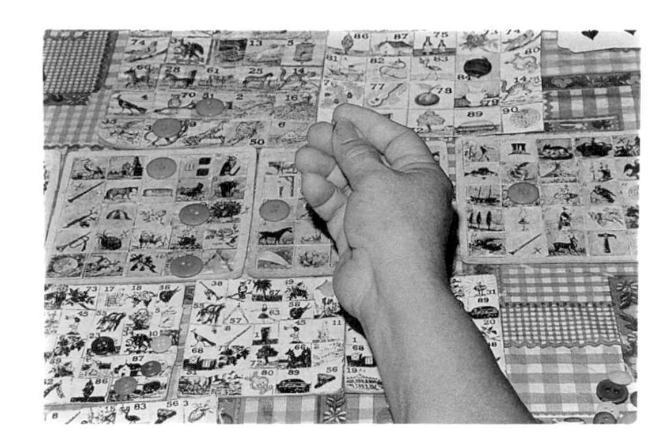

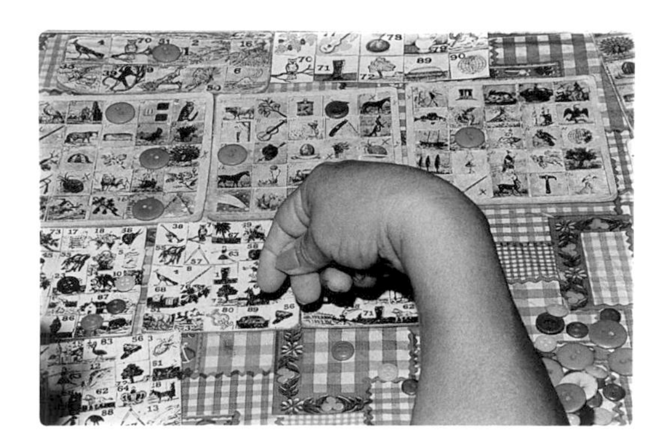

"Bolazo, por acá". Con buena mano comienza la noche de lotería. Y es que en casa de doña Ramonita Medina, la suerte de tener al centro de la cartilla la primera figura anunciada trae consigo un premio: un exquisito sandwich de pollo en escabeche. Acomodadas en las sillas y mesas que hay en el interior y en el patio de esta casona del barrio de San Francisco, unas 30 animosas mujeres esperan alertas el llamado de la fortuna. Ellas, con la sonrisa y la picardía a flor de labios, ofrecen una encantadora postal del matriarcado de la suerte. Algunas de esas sillas y mesas, por cierto, andan en el juego desde que pertenecían a la bisabuela de doña Ramonita.
Es verdad que entre la cuarentena de jugadores se encuentra un respetable contingente masculino —incluyendo al anfitrión, don José del Carmen Casanova—, pero son ellas las que cantan la "bolada". A veces lo hacen sin rodeo: "88, patas largas". Uno que otro marca entonces —con botones, frijoles, piedras o hasta lentejuelas— al patilargo flamenco. A veces la cantada le apuesta al enigma: "la que huele". Muchos adivinan que se trata de la 73, la rosa; sin embargo, alguien al fondo del patio supone que es la 83, la garza. "La que huele, no la que vuele", le aclaran ruidosamente. Toda disputa, en caso necesario, es dirimida por la anfitriona, quien tiene bajo su mesa los huevos rojos que se suelen entregar como premio.
Dos personajes se

Escenas de una partida nocturna.

Cartillas de lotería. En tinta y acuarela, en punto de cruz e impresa en negro. Col. Ortiz Lanz.

disputan la autoría de esta lotería: el empresario cigarrero José María Evia —quien regalaba los cromos en las cajetillas— y el platero tabasqueño Guadalupe Hernández, que tenía expendios para jugarla en las ferias de la ciudad, especialmente en la de san Román. Popular entre los campechanos desde la última década del siglo XIX, esta lotería se juega en las fiestas patronales y dos o tres veces por semana en ciertas casas de barrios como Santa Ana, San Román y San Francisco. Consta de 90 figuras y cada cartilla tiene sólo 25; el juego se gana al alinear cinco números en distintas maneras: en diagonal, "L", "V", tijeras, cruz grande, cruz chica... Los visitantes inexpertos apenas pueden con sus ocho cartillas, pero

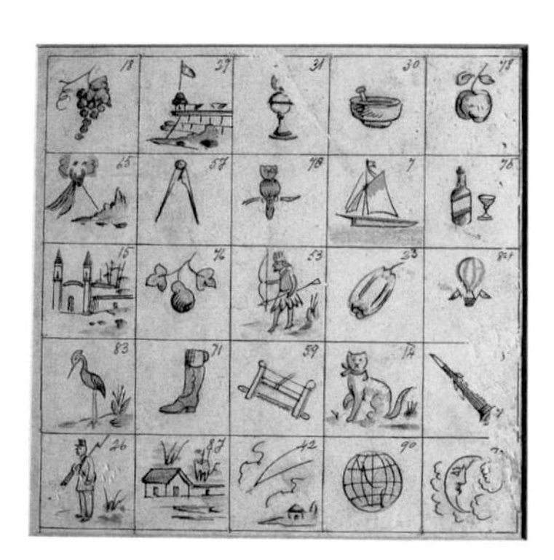

los amigos de la casa, que en más de una ocasión han extendido la tertulia hasta las tres de la mañana, atienden el juego con mano experta y la charla con humor ágil, haciendo caso omiso del sofocante calor que también ha concurrido a la cita, pese a que ya está muy próxima la medianoche.

A esa hora, andando por el malecón, puede uno recitar, hasta aprenderse los 90 mundos, los versos de Ongay Reyes:

"*Un martillo* fino, dándole duro a *dos palomas* que se están comiendo *tres piñas* maduras, mientras *cuatro guacamayas* discuten *cinco jaulas* que son para *seis gallinas*..."

Sandra Luna

un poco istoria

ROMÁN PIÑA CHAN

Como si estuviera navegando en el mar que tiene frente a sí, Campeche parece mecerse constantemente entre el pasado y el presente. Uno de los campechanos más distinguidos de nuestros días retoma este suave ritmo para narrarnos algunos de los episodios y las estampas más representativas de casi cinco siglos de la historia de esta ciudad.

Los campechanos que siempre han vivido frente al mar, los que a la playa van a buscar el fresco de la brisa, a contemplar las puestas de sol o a recorrer el malecón desde San Román hasta San Francisco conocen los sucesos históricos ahí acontecidos.

Desde los últimos tiempos de la civilización maya, esta franja de playa fue asiento de reducidas aldeas pescadoras que pertenecían a la provincia de Ah-Kin-Pech, es decir, del "Sacerdote del Sol llamado Garrapata", cuyo núcleo más importante estaba en la parte que luego se llamó San Francisco Campechuelo. El 22 de marzo 1517, día de san Lázaro, las velas de los galeones de Francisco Hernández de Córdoba se dejaron ver frente al poblado indígena, al cual desembarcaron para oír misa y reabastecerse de agua en "El Pocito".

Aquel acontecimiento es relatado por fray Bartolomé de Las Casas: "A través de un velo de bruma se distinguió la línea luminosa de la costa y a medida que se acercaron fueron viendo el caserío: unas tres mil casas y una vegetación rica y exuberante. Así parecía desde el mar, pero cuando se fueron acercando, vieron un adoratorio de cal y canto con una torre cuadrada de cantería muy blanqueada, con gradas y en la pared, figuras de serpientes y otras alimañas. En el fondo del altar había un ídolo con dos leones grandes, salpicados de sangre y más abajo una serpiente de 40 pies de largo, que tragaba un fiero león. Todo era de piedra muy bien labrada".

En 1531 el adelantado Francisco de Montejo fundó, en compañía del alférez Gonzalo Nieto y unos cuantos españoles, el pueblo de Salamanca de Campeche que era, más bien, un campamento militar. Sin embargo, cuenta Diego López de Cogolludo, "viendo los indios que los españoles que quedaban en Campeche no eran más de 40 de a pie y diez de a caballo, se juntó gran multitud de ellos y dieron en el real de los nuestros, que se vieron en gravísimo peligro".

Se libró entonces la famosa batalla de san Bernabé entre los conquistadores y los mayas de las provincias de Ah-Canul y Ah-Kin-Pech, de la cual dice Pedro Álvarez: "estando seguros los indios naturales de la provincia de Acanul e de todas las otras provincias comarcanas dieron de guerra sobre la que estaba poblada en Campeche [...] que fue día de San Bernabé, y en memoria de haberse hallado los cristianos en tanto peligro y haber alcanzado tan grande victoria, juraron cada un año día de San Bernabé sacar su pendón en procesión general [...]".

Hacia 1535, sin embargo, la situación de los colonizadores no era muy halagüeña, según narra López de Cogolludo: "los españoles que estaban en Campeche, padecían muchos trabajos y falta de sustento, con que casi todos enfermaron, y su capitán Gonzalo Nieto no tenía con qué sustentarlos [...] Llegaron a quedar sólo cinco soldados y el capitán [por lo que] hubieron los españoles de desampararla totalmente, aunque con ánimo de volver más de propósito a su conquista, siendo a la sazón alcalde de Campeche el capitán Nieto".

El nacimiento de la ciudad

Cinco años después, el 4 de octubre de 1540, Francisco de Montejo, el Mozo, hijo del Adelantado, fundó legalmente la Villa y el Puerto de San Francisco de Campeche, situados como a un kilómetro de distancia del poblado maya, conocido como San Francisco Campechuelo. Allí Montejo repartió solares a sus acompañantes, señaló el lugar para la plaza y destinó los espacios a los edificios más importantes por construirse.

Campeche tiene el trazo en cuadrícula, es decir, con sus calles "derechas e traviesas" como un damero o tablero de ajedrez. Uno de sus cuadros, próximos al mar, está ocu-

IZQUIERDA: Grabado a partir de un dibujo de D. Pérez Piña. ABAJO: B. Picart. *Idoles de Campeche et de Iucatan.* 1734. Col. Roberto y Vera Mayer.

pado por la plaza, en torno de la cual se alinearon los edificios que daban legitimidad a los poderes del conquistador: la iglesia parroquial o catedral, el cabildo, la aduana, la atarazana y las casas de los colonizadores.
Si bien el trazo ortogonal y la cuadrícula son rasgos urbanos que pudieron haber venido con los españoles, el concepto de la plaza como eje o principio urbanístico, de donde parten o convergen las calles, es, como dice Miguel Rojas Mix, "el elemento más característico de las ciudades coloniales de América, y aquí alcanzaron la significación y tipicidad histórica que la hicieron paradigma de todas las ciudades españolas posteriores a 1573".
Así, en el viejo plano de Nicolás Cardona, realizado hacia los comienzos del siglo XVII, vemos, aunque muy esquemáticamente, el trazado regular de unas cuantas calles, con sus ringleras de casas; un edificio religioso cerca de la playa (tal vez la parroquia de Nuestra Señora de la Concepción) y un gran espacio baldío (tal vez la plaza) con una sola hilera de casas en el lado sur. Hacia el extremo noreste hay otro templo con su casa anexa (quizá San Juan de Dios y el Hospital). La distancia entre la parroquia y el hospital cubre la superficie de unas 12 cuadras o manzanas, casas y lotes baldíos que pudieron ser solares. También se observa la Fuerza de San Benito junto a la playa, representada como un torreón o casa fuerte, coronado de merlones; así como las embarcaciones frente a la pescadería. No aparece ni San Román ni San Francisco.

Tiempos de la piratería

El siglo XVII se distinguió por las incursiones y aventuras de piratas y corsarios. François Leclerc o Pata de Palo y Diego el Mulato, así como Cornelius Holz atacaron Campeche en 1633; Jacob Jackson en 1644; Henry Morgan en 1661; Myngs y Morgan, Mansvelt y Bartolomé Portugués lo hicieron en 1663; Rock Brasiliano y L'Olonés en 1665; Brasiliano o Brasileño volvió en 1670; Laurent Graff en 1672; Lewis Scott en 1678; Lorencillo regresó en 1685; Dempster en 1688. En ese mismo siglo, en 1611, para la defensa contra todos ellos se construyó el castillo de San Benito y en 1686 se inició la construcción del recinto amurallado.
En 1704 se terminó la muralla de Campeche, la cual detuvo el ataque de Barbillas en 1708. Los campechanos se volvieron expertos en la marinería: capitanes, contramaestres, maestres de velamen, veleros, carpinteros, tripulantes; de sus astilleros salieron al mar La Guadalupe, El Blandón, El Victorioso y muchos navíos más de gran calado, que pusieron en alto la pericia de los carpinteros de ribera. La vida crecía, los edificios se multiplicaban y, en 1777, el rey de España le concedió el título de Ciudad de San Francisco de Campeche.
En 1685 la villa sufrió el más cruel ataque pirático, encabezado por Lorencillo y Agrammont. Se sabe que desde la Plaza Mayor y una serie de trincheras en torno a ella se trató de repeler a los piratas; también se habla de la Contaduría que tenía una torre que daba la hora; de la Audiencia; del castillo de San Carlos; de la cárcel; de las casas de doña Melchora Maldonado y de Ana Valdés; así como de la parroquia en construcción, donde se refugiaron muchas mujeres y niños que, según Pérez Martínez, pudieron escapar por un pasadizo que partía del presbiterio y terminaba en el cerro de La Eminencia.

Campeche independiente

Consumada la Independencia, en 1821, la ciudad de Campeche proclamó su adhesión a México, rompiendo así los lazos que la ataban a la vieja metrópoli de ultramar. Años después, en 1857, se pronunció contra el gobierno de Yucatán, del cual dependía. De dicho pronunciamiento, encabezado por don Pablo García en 1858, surgió el esta-

IZQUIERDA: **Decoración urbana en la antigua calle del Comercio.** ABAJO: **Parque y Palacio. Col. Ortiz Lanz.**

do de Campeche, mismo que fue ratificado por el presidente Benito Juárez en 1863.

La plaza

En la Colonia, la Plaza Mayor o Plaza de Armas tenía el carácter de campamento militar fortificado, sello de toda nueva fundación en América. Se concebía espaciosa pues, como dice Luis Weckmann, tenía la función política de ser el sitio donde se hacían los alardes y los ejercicios militares que contribuían a mantener en paz a los indígenas; era el lugar donde se celebraban las festividades y torneos impuestos por el espíritu de la época. También era el núcleo de la vida cívica, el eje por donde circulaba la actividad de la ciudad, y el centro del poder político y religioso.

De hecho, los modestos orígenes de nuestra plaza se remontan a 1531, cuando Gonzalo Nieto y sus soldados juraron pasear en ella el pendón (o estandarte real) cada día de san Bernabé. En esta procesión participaban la nobleza —que iba a caballo—, el capitán general, el cabildo, los oficiales reales y los vecinos principales.

Estaba, además, la presentación de las armas que cada año realizaban las compañías de soldados y los encomenderos, así como el escuadrón de caballería guarnecida, escaramuceando con sus lanzas y carabinas, o haciendo diversos ejercicios militares. Comenta López de Cogolludo: "Cierto es de ver este día, porque procuran salir oficiales y soldados lo más lucido y galanes que les es posible".

En la misma plaza, donde siempre ha latido el pulso de lo cotidiano, podía verse también al aguador con su pipa de madera en una carreta jalada por una paciente mula; al carbonero con su calzón de manta enrrollado a la rodilla llevando un gran costal a la espalda o sobre los lomos de burros. Y desde luego, a arrieros y jinetes, así como a cocheros a bordo de volantas o calesas. Por la plaza cruzaban las mujeres de mantilla y devocionario rumbo a la parroquia; los empleados que puntuales acudían a la aduana o al cabildo; los comerciantes que se dirigían a su almacén; los vendedores ambulantes que pregonaban su mercancía de camino al mercado.

La Plaza de Armas, como otras, tenía una pila para abastecer de agua a los vecinos y un rollo o picota —una columna de piedra o de otro material— a cuyo pie los reos eran castigados cruelmente. Esta última fue destruida en 1813, a raíz de los vaivenes políticos de la Independencia. Con ello cambió también el nombre de la Plaza Mayor por el de Plaza de la Constitución. En 1829 la lápida que le daba tal designación fue sustituida por otra con la inscripción: "Plaza de la Independencia. Año de 1821". También en 1813 se quitaron las argollas que estaban en la galería baja de la sala capitular del Palacio del Ayuntamiento, donde se sujetaba a los reos. En 1821, por cierto, ya no se habla del Palacio de Ayuntamiento sino del Palacio Municipal. Al año siguiente se inauguró el alumbrado de la ciudad con 37 faroles —encendidos muy probablemente con velas de la famosa cera de Campeche— que debían prenderse al punto de la oración, o sea, al ponerse el sol. Hacia 1858, nos dice Francisco Álvarez, el espacio que ocupaba la plaza estaba cubierto

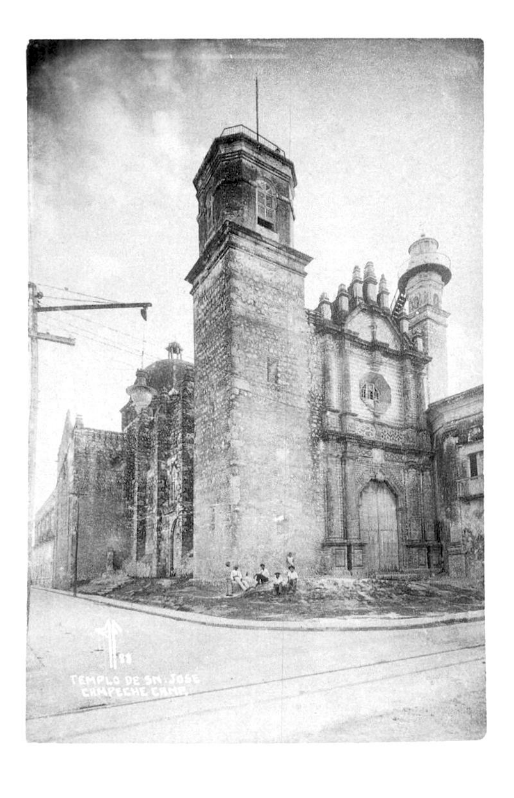

Arriba: Templo de San José. Fototeca del INAH.

ARRIBA: Templo de Santa Ana. ABAJO: Plaza de Santa Ana. Postal de 1912. Colección particular.

de plantas silvestres y abrojos. Un día, Pedro Baranda, comandante general, presentó el plano de un jardín al gobernador Pablo García, quien examinó el proyecto y, junto con el maestro alarife Solís Espinosa, se dirigió al centro de la plaza. Tras pedir que se quitaran las yerbas, procedieron a trazar las calles, arriates y asientos del futuro jardín.

Al día siguiente se comenzaron a levantar los pretiles, pero el trabajo tuvo que suspenderse por las convulsiones políticas. El jardín se terminó en 1870. Su enverjado se fundió en los talleres de La Aurora, herrería ubicada en el barrio de San Román. Las puertas vinieron de Nueva York, hechas sobre un diseño de Manuel F. Rojas. Se plantaron flores y árboles de ornato; el piso estaba embaldosado. Las bancas lucían el colorido de los azulejos. En 1865 paseó por dicho jardín la emperatriz Carlota Amalia y, bajo palio, entró a la catedral a oír misa. Un año después también pasó por la ciudad el ilustre viajero Desiré Charnay en busca de antigüedades.

Hacia 1880, Pedro F. Rivas describe así la plaza: "era un recinto cerrado con artística reja. Tenía tres calles o 'vueltas': la chica que corría alrededor de la glorieta central en que había una artística fuente; la segunda o mediana que estaba limitada hacia adentro por unos arriates con rosas, claveles y otras plantas floridas de poca altura, y por macizos de plantas hacia el exterior; y la 'última vuelta', la más grande, que quedaba entre los macizos y la verja de hierro fundido que tenía puertas en las esquinas y en la parte media, sostenidas por pilastras de mampostería. La primera era frecuentada por los chicos y gente grande; la segunda por los jóvenes que en día de retreta (dos a la semana) paseaban por ella formando dos corrientes: las señoritas hacia afuera y los hombres hacia adentro; y la última para el pueblo en los días de retreta. Los setos de vegetación estaban sembrados de limonarias y lirios cuyo olor perfumaba el ambiente. La última vuelta tenía también unos bancos de azulejos hispano-árabes, y se alumbraba discretamente con faroles de petróleo, que eran parte del alumbrado público. En ellos se hacían las tertulias de políticos e intelectuales".

En 1897 la plaza tenía a su alrededor la Catedral, la Aduana Marítima, el Palacio Municipal, el Palacio de Gobierno, la Gendarmería, el mercado y todas las casas que hasta hoy existen. En ese año se colocaron juegos de agua y tubería en toda la circunferencia de la plaza para facilitar el riego interior del paseo y las calles laterales.

En 1906 el poeta Luis G. Urbina, de visita en la ciudad, escribió: "Casi toda la plaza [...] está ocupada por el jardín, en cuyos camellones, que acotan alambrados y bancos de piedra, se desbordan copas de arbustos, rígidos follajes y flexibles ramas de plantas tropicales [...] Por entre estos verdes, como por entre una cabellera, asoman las vívidas estrellas de grana ruborosa de los tulipanes [...] Las calzadas curvas y rectas del jardín están pavimentadas con un tablero de casillas rojas y azulosas, y en la rotonda central, enlozada de mármol blanco y negro, se yerguen, superpuestas, las tazas labradas de una fuente [...] Sobre sus columnas de hierro pintado, los faroles públicos chorrean oro encendido. [Llega el mediodía] en esta hora no pasa un transeúnte por la plaza ni bajo los portales fronteros que la cierran por un lado y otro".

Nuestra plaza —Plaza de Armas, Plaza Mayor, Plaza de la Constitución, Plaza de la Independencia y Plaza Principal— se inició modestamente, pero con la idea, como decía José Vasconcelos: "de la fiesta barroca de las arcadas en torno a ella, y de los campanarios que evocan alegrías celestes sobre los pórticos de columnas con nichos de estatuas, y ventanales luminosos".

Ha sido el núcleo de la vida cívica del campechano porque en torno a ella se hizo el reparto de solares a los conquistadores y la villa y ciudad fue haciéndose adulta; porque ahí se consagra a los héroes y se despide a los muertos; porque ahí se celebra la Nochebuena y la Semana Santa, el mitin exaltado y la fiesta, la protesta y la serenata dominguera. Ha sido siempre la síntesis de lo campechano, su eje, la cuerda de unión que, a semejanza del cordón de san Francisco que orla su escudo, ha servido de lazo a los habitantes de esta antigua y señorial ciudad".

La iglesia de San José

Esta iglesia (donde me bautizaron) fue el nexo entre el Instituto Campechano y la Escuela Prevocacional, porque en ese tiempo su reducido atrio (lleno de pasto y hierbas) servía para matar el tiempo con ciertos juegos, para comprar golosinas en los puestos de vendedores ocasionales, para ver pasar a las muchachas del plantel y lanzarles piropos, así como para dirimir a puñetazos cualquier problema.

La iglesia de San José tiene una portada formada por tres cuerpos superpuestos. El primero lo ocupa una amplia puerta con cerramiento pentagonal y marco de cantería, todo ello encuadrado con columnas apareadas con pedestal, de base átrica, fuste estriado y capitel dórico. El segundo cuerpo tiene un entablamento del mismo orden arquitectónico que el de las columnas, con arquitrabe, friso, escudo dentro de un medallón, dos columnas de cada lado y un ojo de buey ochavado en el que hay una pequeña escultura, tal vez del santo patrono.

El tercer cuerpo es a manera de un frontón con remates escalonados; toda la fachada está decorada con azulejos, formando varios diseños. En conjunto, la portada es de estilo plateresco y guarda reminiscencias hispano-árabes.

La iglesia tiene una torre y una sola nave. La torre, cuadrada, tenía dos cuerpos parecidos a los de catedral, pero hoy

PÁGINA ANTERIOR: **Archivo Municipal, detalle.** IZQUIERDA: **Esquina de las calles 51 y 14.** DERECHA: **La Soledad.**

sólo conserva uno. La nave, con techo de bóveda de cañón, forma en su último tramo el crucero con cúpula sobre tambor y remata en una linternilla. Al lado opuesto de la torre se construyó posteriormente una torrecilla para instalar el faro de la ciudad.

En 1914 la Jefatura de Armas redujo a prisión a todos los sacerdotes avecindados en la ciudad, clausuró los templos del culto católico y selló todas sus puertas. También se cerraron los colegios maristas y los del clero. Tres días después de cerrados los templos, nos dice Álvarez, fue desocupado el de San José, trasladándose a la catedral todos los cuadros, imágenes, esculturas y ornamentos, por haberse destinado para establecer en él la biblioteca del Instituto Campechano.

Al bajar las campanas de la torre, la mayor rompió parte de la cornisa de piedra del primer cuerpo. La campana lleva la fecha de 1800. El templo —inaugurado en 1809, cuando el arquitecto catalán Santiago Casteillo concluyó de cerrar la cúpula de la media naranja (crucero)— prestó servicio 105 años. El campanario estaba en el segundo cuerpo.

La plazuela de San Juan de Dios

Me gustaba caminar por la ciudad. Unas veces bajaba por el callejón de la escuela hasta el Cuartel Federal y de ahí me dirigía al Parque de los Repollos o seguía por la calle de la Muralla (hoy calle 8) para pasar por los Palacios Municipal y de Gobierno, continuar hacia el mercado y terminar en el Baluarte de Santiago y la Maestranza de Artillería, cuyas piedras amarillentas de sus paredones en ruinas nos transportaban a otros tiempos.

Así, ya avanzada la Colonia, las casas —unas más altas que otras, con techos de azoteas y tejas rojas traídas de Marsella— se alineaban desde los terrenos de la Maestranza de Artillería hasta los solares baldíos del Hospital e Iglesia de San Juan de Dios.

Al final de esa calle existía, hasta 1626, un pequeño hospital denominado Nuestra Señora de los Remedios. Ese año fray Juan Pobre, comisario general de la Orden de San Juan de Dios, envió a tres religiosos hospitalarios y a fray Bartolomé de la Cruz para que se encargaran de su dirección y administración. En 1635, tras ser mejorado en lo general, recibió el nombre de Hospital de San Juan de Dios. En 1675 se concluyó, al lado, la iglesia.

En 1865 llegó, en carretela, la emperatriz Carlota Amalia. Entró por la puerta principal de la iglesia, se arrodilló ante el Sacramento y contempló la imagen del santo patrono. Pasó después a los espaciosos salones de los enfermos de ambos sexos, recorriendo cama por cama y preguntando a cada uno sobre su estado, sus alimentos, cuántos eran los médicos y los empleados, todo ello para conocer la situación del hospital. También hizo una donación de 1500 pesos para construir un anfiteatro, un aljibe y un departamento para enajenados que debía estar contiguo y bajo la dirección del hospital. Para ello se compraron tres casas junto a la enfermería de mujeres y el hospital se extendió hasta ocupar la manzana completa.

La catedral

Al igual que la plaza los inicios de la catedral fueron muy modestos. En 1540 Francisco de Montejo el Mozo mandó construir una iglesia parroquial dedicada a la Purísima Concepción, la cual pudo haber sido de cal y canto con techo de palma y pequeña, pues en 1639

ARRIBA: **San José el Alto.** ABAJO: **Plaza de Armas. Centro INAH, Campeche.** PÁGINA SIGUIENTE: **Calle del Comercio. Col. particular.**

Francisco Cárdenas Valencia anota que: "la Villa y Puerto de San Francisco de Campeche dista de la ciudad de Mérida 33 leguas y es este lugar de hasta 300 vecinos, cuya fundación en sus principios fue de sólo 30 conquistadores que por ser tan poco en número, edificaron la iglesia parroquial que hoy tienen tan pequeña [...] tenía dos curas beneficiarios que administraban por igual a los feligreses, los cuales serán en número de 2700 personas de todas las edades, así de españoles como de mestizos, mulatos, negros e indios naborios [...] [y con] una capellanía fundada con 8,000 pesos dados por el capitán don Íñigo Doca".

La ubicación de esta iglesia parroquial no puede precisarse porque en el plano de Cardona, de 1632, se ve como en perspectiva desde el mar y parece estar más cerca de la playa y la plaza, próxima a un edificio que puede ser el fuerte de El Bonete o Fuerza Vieja. Allí se observa que debió haber tenido una fachada sencilla, con espadaña, y una torre pequeña al final de la nave. Tampoco conocemos la fecha en que dejó de prestar sus servicios, pero sí sabemos por López de Cogolludo que hacia 1650 esta iglesia "por ser tan corta [tuvo que ser sustituida por] otra muy capaz, y aunque se hizo gran parte de ella, ha muchos años que cesó la obra".

Así, parece que la iglesia parroquial se inició en 1541 y se terminó en 1580, y que entre 1639 y 1650 se comenzó la construcción de otra de mayor tamaño, que es la ahora llamada catedral. Al respecto, Preciat señala que "con donativos de la rica propietaria, doña Margarita Guerra se continuó la obra, habiendo celebrado la bendición de ella el obispo fray Pedro Reyes Ríos de Lamadrid, el 14 de julio de 1705 [...] Sin embargo, no estaba terminada del todo [pues] le faltaban las torres. [...] Cincuenta y tres años después, siendo cura y mayordomo de fábrica el presbítero don Manuel José de Nájera, se dio a la iglesia la extensión que tiene; se le hizo la torre del mar [...] colocándose en ella las campanas, que antes pendían de un campanario que ocupaba el centro de la fachada; se colocó el primer reloj público y un hermoso y bien labrado escudo español en el centro del frontispicio, el cual fue mandado destruir después de la Independencia y luego barrenado para poner la carátula del reloj municipal".

Los trabajos se realizaron de 1758 a 1760 y, en 1835, el obispo de Yucatán, don José María Guerra, nativo de Campeche, consagró con gran solemnidad la parroquia.

calles y esquinas

La vida de la ciudad se halla ligada a las calles y a las esquinas. Hacia 1685 las primeras se conocían por alguna de las personas que en ella residían: la calle del Capitán Gaspar Fernández, la Derecha, la de Bayona, la de Julio Tello y, unos cien años después, la calle Martell y la Arreola que, partiendo del costado poniente de la Plaza de Armas, iban hacia el sur y norte, respectivamente. También así se denominaban las esquinas: de Doña María de Ugarte, del Ayudante Pinto, de Fernando Sánchez y de Josefa Román. En 1872, una comisión puso nombre a las calles del centro de la ciudad, pero en 1912 se cambiaron por números. Las calles perpendiculares (de norte a sur) se designaron: calle de la Muralla (8), del Comercio (10), de Colón (12), de Moctezuma (14) y de Morelos (16). Las transversales (de oriente a poniente) se nombraron: Calle de Toro (51), de Iturbide (53), de la Independencia (55), de Hidalgo (57), de la América (59), de la Paz (61), de Zaragoza (63) y de La Reforma (65).

Las esquinas se fueron bautizando con nombres que perpetuaban sucesos, cosas, animales y comercios; así surgieron la esquina del Brazo Fuerte, del Elefante, del Gallo, del Toro, de la Estrella, del Acero, del Gran Poder, del Rosal,

ARRIBA: La ciudad luce nuevamente su colorido original. ABAJO: Esquina Punta de Diamante. Postal de 1910. Colección particular.

la Punta de Diamante... Y los callejones: de la Cruz del Cabrero, del Pirata, de la Japonesa, del Cocal, de Monte Cristo, del Bambuco.

Las casas

Las casas de la Colonia, con sus rojos tejados de barro cocido venido de Marsella, o de mampostería con uno o dos pisos y techos de azoteas, reflejaban la influencia mudéjar en las ventanas de madera con barrotes torneados y postigos con barandales; en las escaleras, puertas y ventanas con entablerados de celosía y, desde luego, en el mobiliario: bancas, mesas, arcones, camas, biombos, sillas, cómodas, bufetillo, roperos y otros más, a veces con incrustaciones de hueso, marfil y carey.

Tras los portones claveteados y los penumbrosos zaguanes, se adivinan los patios cubiertos de baldosas o de ladrillos rojos, enredaderas y pájaros cantores que revolotean en jaulas por los corredores con arcadas.

Las casas, dice Jean-Frédéric Waldeck en 1834: "son todas habitadas por una familia o un solo individuo. Las que se alquilan cuestan al mes, según su magnitud, desde diez hasta 50 pesos. Estas últimas tienen tiendas y almacenes propios para el comercio. Todas poseen pozos, patios, y contienen desde seis hasta 12 piezas, generalmente de un piso y al mismo nivel. Las cocinas son espaciosas y cómodas; no se quema allí mas que carbón en hornillas a la francesa".

Y agrega: "No hay más agua potable en Campeche que la que contienen las cisternas de las casas particulares. La que venden en las calles viene de los pozos de afuera y se transporta sobre carretas. Dos barrilitos cuestan un medio, la más pequeña moneda de plata".

A eso del mediodía algunos parroquianos comenzaban a llegar a las tabernas para "hacer la mañana", aunque ésta solía durar hasta la hora de dormir. Hacia las dos de la tarde, la plaza y las calles quedaban desiertas, era raro ver un alma. Los comercios cerraban sus puertas; después de la comida, los criollos y la gente del pueblo dormían la siesta. Unas horas más tarde todo el mundo despertaba, se bañaba y vestía, volviendo la animación.

A las ocho en punto sonaba la campana de la parroquia y todos —a pie o a caballo se detenían— los hombres se quitaban el sombrero y las mujeres se arrodillaban. El centinela del cuerpo de guardias presentaba armas y los soldados se santiguaban. A las nueve o diez se oía el toque de queda, hora de volver a los hogares.

El mercado

La carnicería, que se volvió mercado, estaba ubicada cerca del patio de la antigua atarazana, construcción que lo mismo servía como dársena para barcos que como arsenal, almacén y, ocasionalmente, de cárcel. Después de este patio seguía un terreno baldío y enseguida el espacio ocupado por el mercado que, según Álvarez, hacia 1818 era una galería o portal con mesas de carne de res y de puerco, así como plaza de verduras.

En 1873 se construyó la galería con techo de teja; al año siguiente se enladrilló el piso y en 1875 se inauguraron las obras del mercado público que, para 1880, era un amplio corredor con arcos de vigas y azoteas. En un portal se vendía carne de res y cerdo; otro corredor se destinaba al expendio de pescados fritos, asados y salados, pues la venta de mariscos frescos se hacía entonces en el muelle fiscal; y en otro estaban los puestos de frutas de mayor tamaño, como sandías, melones, piñas y caña de azúcar. Se expendían las legumbres en mesas que las vendedoras alquilaban junto con bancos para sentarse. Este viejo mercado todavía resistió el fin de siglo, antes de que se pensara en construir uno nuevo en los terrenos que ocupaba la Maestranza.

ABAJO: **Una calle de la ciudad intramuros.**

EL CRISTO NEGRO DE SAN ROMÁN

Los mexicas que acompañaron a Francisco de Montejo el Mozo en la conquista de Campeche se establecieron, desde la fundación de la villa, en el lugar que sería el barrio de San Román, cuyo nombre se debe a la ermita concluida en 1563 y que adoptó a san Román mártir como santo patrono. Para entonces el barrio era de mexicas y marinos, pero la historia no cuenta quiénes decidieron tener en la ermita una imagen de Cristo Crucificado, negro. Sobre el particular hay que recordar que los mexicas adoraban a Tezcatlipoca, el "dios negro de la guerra", cuyo culto los españoles trataron de erradicar, cambiando la imagen nativa por la de Cristo que tuvo que ser negro para su aceptación. Así, en muchos lugares de México donde hubo grupos de guerra mexicanos existe un Cristo negro. Por otra parte, la imaginería religiosa del siglo XVI tuvo su auge en Guatemala, perteneciente a la diócesis de Yucatán, donde se tallaban magistralmente las imágenes de Cristo en ébano.

Como quiera que sea, la historia y la leyenda tejen sus acuerdos. Así, se cuenta que en 1565 se encargó la imagen de Cristo Crucificado al comerciante Juan Cano de Coca Gaytán, quien la adquirió en Alvarado, llevándola luego a Veracruz. Se dice que un barco no quiso traer la preciosa carga a Campeche y, en cambio, lo hizo una modesta embarcación. Al salir, sopló un fuerte norte y la nave con el Cristo llegó en 24 horas a su destino; el otro desapareció.

La ermita —que alojó desde entonces la imagen del llamado Señor de San Román o Cristo Negro de San Román— llegó a tener un convento y se convirtió en destino de procesiones y fiestas que se volvieron tradicionales.

Para nosotros la fiesta de san Román comenzaba (después de la "bajada del Cristo" para ser besado por los fieles) con la llegada de don Juan Escárraga y sus juegos mecánicos —la Ola, el Carrusel— movidos con máquinas de vapor que se instalaban atrás de las construcciones de la iglesia, en contraesquina de la fonda del Cofre.

En terrenos próximos a esta última se construían templetes con toldos para las tandas en las que actuaban artistas de Mérida; junto al parque se levantaban con techos de láminas los locales para las loterías campechanas (donde se repartían los premios en mercancías); los salones de cerveza; los puestos de empanadas, panuchos, sandwiches de pavo, tacos de lechón y, desde luego, puestos de naranjas peladas, guayas, pibinales y otras frutas.

Las peregrinaciones de los gremios al amanecer —las alboradas—; las misas, los fuegos de artificio, los voladores o cohetes, la música en el pórtico de la iglesia y en el jardín, y los bailes en la Casa Nevero eran parte de esas fiestas que congregaban a la sociedad campechana.

ALGUNOS ÚLTIMOS RECUERDOS

Muchas imágenes casi se escapan a la memoria: el Matadero Viejo, que estaba a dos cuadras del barrio de Guadalupe, a la orilla del mar; el Teatro de la Ciudad; la Maestranza; la Alameda; los carnavales, las corridas de toros; el voltejeo, las peleas de papagayos; el Circo

ARRIBA: **Antigua casa de la familia Lanz. Actualmente alberga la Casa de la Cultura Jurídica.**

ARRIBA: **Los pisos de mosaicos provenientes de Europa aún se aprecian en muchas casas.** ABAJO: **Detalle interior de la Casa 6.**

TEATRO
EL
HIPOCRITA
TOROS
RMON
PAR EL
RE MENDES

Teatro Renacimiento, el Salón Teatro La Kananga y tantos otros sitios de interés y diversión que a través de los años han hecho amable la vida del campechano.

Y cada generación va disfrutando de las mismas cosas, pero las recuerda de manera distinta. De tal modo que en mi infancia, antes de entrar a la Escuela Industrial a estudiar zapatería, veía cómo en la Plaza Principal se tomaba el tranvía de mulas que corría sobre una angosta vía de rieles, el cual pronto fue sustituido por los camiones; y cómo los laureles de la plaza ofrecían sombra, y descanso las bancas de cemento, aunque desde el anochecer estaba uno expuesto al excremento de las golondrinas.

Ir al portal del Cuauhtémoc era parte de la rutina diaria, a efecto de comprar en los puestos ubicados en los muros que quedaban entre puerta y puerta de la cantina de los Cambranis. Allí se podía adquirir la deliciosa nieve de todos los sabores que producía Fleites; o los dulces regionales que expendía Tabich, desde camote con piña o coco, hasta mazapán de pepita y pasta de guayaba.

Por las calles pasaba la vendedora de fruta con una palangana en la cabeza y una canasta colgada del brazo. Entre los mangos, ciruelas, zapotes y tamarindos, se antojaba darle un beso al caimito, quitarle un *nich* en la base y quedar pegado a su epidermis, blanca o morada, para absorber luego su pulpa interior. O quitar concha por concha el carapacho del saramuyo para desnudarlo y saborear su deliciosa carne, y mascar las ácidas y verdes grosellas hasta sentir cómo se te llegan a hacer *tuxes* en el interior de las mejillas.

Pasaba también el aguador cuya pipa tenía una llave por la que sacaba el agua y vendía por medidas hechas a manera de cilindros con asas; el pescador con un cesto de bejuco a la cabeza, lleno de pámpanos o de sierras, generalmente con el pantalón enrollado a media pierna y pregonando su mercancía por las calles; y, desde luego, la tortillera con el *lek* o cesto sobre la cabeza, vestida con saya, rebozo, camisa y chancletas.

El repartidor de leche, que iba con sus lecheras de gruesa hojalata y sus medidas de litro, medio y cuarto, hechas del mismo material; el barquillero con su recipiente que se antojaba un cohete espacial en miniatura, cuya tapa estaba pintada con gajos verdes, rojos y amarillos que tenían números a manera de una ruleta, y se colocaba una flecha giratoria que marcaba el número de barquillos ganados en la rifa.

Por último, el panadero que iba de casa en casa con su globo de hojalata en la cabeza que, al ser destapado, dejaba ver las camelias junto a las roscas de agua, las patas, las hojaldras y muchos otros panes que despedían un olor inolvidable. Editado del libro *La ciudad donde nací. Una arqueología de la memoria*, Coordinación Nacional de Descentralización e Instituto de Cultura de Campeche, 1997.

ROMÁN PIÑA CHAN. Nació en Campeche. Su labor profesional es una de las más reconocidas en la arqueología mexicana. Sus más de 200 títulos han sido traducidos a diversos idiomas. Ha sido merecedor de varios reconocimientos importantes, entre los cuales destaca el Premio Nacional de Ciencias y Arte (1994).

"Las mujeres del pueblo llevan dos clases de traje: uno es el vestido de enaguas con chinelas [...] Los hombres que ejercen algún oficio, llevan con el pantalón ordinario, ya una chaqueta, ya solamente una camisa que dejan flotar y que hace así el oficio de una blusa. Los indios llevan un vestido semejante, sólo que es de tela basta de algodón [...] su pantalón es ancho y corto; no desciende sino hasta la mitad de la pierna, y la mayor parte del tiempo está arrollado en torno a los muslos [...] [los soldados] salvo el fusil, la cartuchera y la cinta en el sombrero, llevan el traje de un indio del interior". JEAN-FRÉDÉRIC WALDECK.

EN ESTAS PÁGINAS: J. F. Waldek. *Traje de soldado* y *Traje de campechana*. 1838. Litografías acuareladas. París. Col. Roberto y Vera Mayer.

Los

CALIDEZ DEL PECADO

emonios

puerto

Frente a las tentaciones del calor tropical y el mar abierto, los habitantes de la ciudad amurallada no siempre supieron —o quisieron— defender la virtud. De ello dan fe los cientos de documentos que, entre 1560 y 1817, registraron el paso de la Santa Inquisición por Campeche y que hoy, indiscretos, ofrecen un singular perfil de los habitantes de aquel puerto.

La institución que puede ofrecernos un fiel retrato psicológico, cultural y moral de la sociedad virreinal del puerto de Campeche es, sin duda, la Inquisición. A través de su brazo ejecutor, el Tribunal del Santo Oficio, supo de la realidad y los misterios de la población civil, eclesiástica, militar y administrativa del que fuera el segundo puerto más importante de la Nueva España en el Golfo de México. En ese entonces pocos podían tirar la primera piedra y muchos tenían que esconder la mano, pues ante los inquisitoriales ojos de la iglesia católica, todos cometían de algún modo pequeños o grandes pecados. El Santo Oficio persiguió a los hombres de conciencia perversa. No a todos pudo enjuiciar y muchas veces pagaron justos por pecadores. La justicia terrenal y divina siempre ha sido así. No obstante que eran de dominio público las formas de tortura y los castigos severos para quienes osaban violar las leyes de Dios, los demonios del puerto estaban siempre activos.

Un ambiente de misterio y embrujo cobijaba a Campeche. Por este puerto transitaron, a lo largo de los tres siglos de la Colonia, miles de embarcaciones con inquietantes cargamentos: libros prohibidos con palabras mal sonantes, con imágenes del diablo, con ideas contrarias a la fe católica y al monarca español; hombres y mujeres con pensamientos judaizantes; bígamos, polígamos, herejes, blasfemos y curas solicitantes. Todos ellos recorrieron de un lado a otro el puerto, buscando adeptos o confirmando sus transgresiones. Los demonios del puerto —hombres y mujeres— constituyeron un ejército de más de 400 miembros, según revelan los documentos que sobre la Inquisición en Campeche se conservan en el Archivo General de la Nación.

De los casos revisados, el más recurrente fue, sin duda, la bigamia practicada tanto por los hombres del mar como por los del puerto. Aunque casados en España o en Inglaterra, después de navegar meses enteros, viendo sólo agua, sol y luna, la necesidad de una mujer resultaba implacable para conquistadores, colonizadores, comerciantes y marinos. Una mujer que endulzara los labios resecos por el agua de mar y el sol; que mitigara la soledad y el ímpetu que da la abstinencia involuntaria. Para un marino, una mujer con frecuencia despertaba el deseo de seguir viviendo, de echarse a la mar y regresar con hambre de comida, bebida y sexo; un hijo otorgaba también la pertenencia a una tierra y a un cielo donde hallar cobijo en el futuro.

Algunas denuncias de bigamia emitidas por el Santo Oficio en el Campeche colonial fueron contra los españoles Francisco Guerra y Agustín de Quezada; Francisco Alberto Bencomo, de la Isla de Tenerife; José Román Curbelo, de Islas Canarias; Antonio Pérez, de oficio sastre; Manuel de Medina Salvatierra, marinero; Sebastián, alias José Cordero, carpintero de hacha; y José Miguel, alias Miguel Antonio, negro libre, casado en Campeche y Tabasco. A Tomás Mazola, chinchorrero en la pesca del robalo; Nicolás Naranjo, español, José Rodríguez y Pedro Antonio Cristal (alias Calderón) se les siguió juicio por poligamia.

Esta relación, como las que citaremos más adelante, es una pequeña muestra de la inmensa cantidad de violadores de la ley divina. Es notable la diversidad de los enjuiciados: blancos, negros, mulatos, criollos, mestizos; de distintos lugares de la Nueva España, de las islas del Golfo de México o del Mar Caribe, de España y del norte y sur de América. Los había jóvenes y viejos, igual sacerdotes que alcaldes, comerciantes o artesanos.

El fiscal inquisidor también fue implacable contra quienes proferían palabras indecorosas o juicios contra los cánones establecidos por la iglesia. A ellos se les acusó de blasfemos. A pesar de que los edictos se publicaban

IZQUIERDA: **Mascarón de barco. S. XIX. Talla en madera mexicana. Col. Ortiz Lanz.** ABAJO: **Vista de la muralla. Centro INAH, Campeche.**

en la aduana, en los muelles y en todas las esquinas del puerto, los comisarios del Santo Oficio denunciaron constantemente casos de demonios que iban de un lado a otro construyendo frases terrenales, apegadas a la realidad humana pero no a la divina y que, por ende, no se debían pensar y menos mencionar en público.

Entre los casos más conocidos tenemos el de Pedro Recio, quien una tarde de agosto de 1616 dijo ante un grupo de amigos, con la mirada perdida en la inmensidad del mar, "que si su enemigo se fuera al cielo, él iría a darle de puñaladas". En 1612, Domingo Flores hizo pública una costumbre practicada en el puerto desde que la fundara Francisco Montejo, el Sobrino: "no es pecado estar con una mujer si se le paga".

El capitán Juan Matilla, procedente del puerto de Veracruz, ancló su goleta en la tranquila Bahía de Campeche y, apenas clareando el día, se vio rodeado, como siempre, de comerciantes, cargadores, vendedores y numerosos burócratas virreinales. Parado en la punta de la proa, no pudo callar lo que había pensado la noche anterior y dijo que "atendía las protestas del gobernador de Campeche, porque [su jerarquía] era mayor que la del papa". El capitán Matilla fue a Veracruz y regresó dos veces más sin problemas, pero a la tercera, el Santo Oficio lo encarceló y torturó durante un año para hacerle entender lo hermosa que es la vida sin la intervención diabólica.

José López, cansado de contemplar las grandes embarcaciones y las transacciones portuarias que a tantos enriquecían, veía su esquelético cuerpo y trataba de extraviar sus ideas en el horizonte para no ofender al Creador. Sin embargo, un día no aguantó más y lanzó insulto tras insulto contra las autoridades civiles y religiosas. No tenía salvación; fue acusado de blasfemo y se le siguió juicio por proferir "palabras indecorosas contra Jesucristo".

Agustín Barranco, como buen porteño, le mentaba la madre a todo el que se cruzara por su camino, inventaba chistes y contaba historias con groserías y acento campechano. Fue por mucho tiempo la diversión de quienes querían hacer menos tediosa la espera entre el día y la noche. Pero un espía del Santo Oficio lo escuchó y, a pesar de reír con sus leperadas, lo denunció.

"Los viajes ilustran", dicta el proverbio, por lo que no es casual que la mayoría de los juicios por blasfemia fueran contra marineros que llevaban de puerto en puerto las altisonancias aprendidas. Juan Esteban, guardián de un navío, y Pedro Hernández, de oficio navegante, fueron acusados de blasfemia, por recitar oraciones religiosas que luego contradecían o se burlaban de su contenido.

Los barcos transportaban no sólo mercancías, sino también a algunos pasajeros herejes y, con ellos, las ideas renacentistas que recorrían Europa. De esta manera, al puerto de Campeche llegaron: el portugués Antonio González; el sueco Daniel Zidenstron, de religión calvinista y acusado de luterano; Carlos de Mayen, mulato hereje; y los franceses Santiago Gerrons y Julián Verron, éste último se ahorcó tras conocer la sentencia dictada por la Real Sala del Crimen de Campeche.

De los casos de herejía, uno de los más célebres fue el del franciscano José de Almeida, natural de la ciudad de Campeche. Era comisario de su orden, profesor, predicador general, notario apostólico y examinador sinodal de este puerto. Sin embargo, como reconoció ante el comisario del Santo Oficio, dejó que el diablo se apoderara de su conciencia. El día que cumplió 59 años decidió transgredir la fe católica, apostólica y romana para convertirse en adamita, gnóstico y anabaptista. Entre otras linduras, fray Almeida celebraba sus congregaciones desnudo, practicaba una filosofía que mezclaba el cristianismo con creencias

Carlos Allard. *Campeche*. 1698. Grabado en cobre. Amsterdam. Col. Roberto y Vera Mayer.

judaicas y orientales, y estaba convencido de que se debía bautizar a los niños hasta que tuvieran uso de razón. Por todo ello fue acusado con grandes méritos de hereje.

La hechicería, que ha existido siempre, era practicada en Campeche principalmente por negras y mulatas, quienes eran comúnmente consideradas portadoras potenciales del demonio. Algunas de ellas llegaban del mar, en ese tráfico inclemente de esclavos practicado diariamente en el puerto, permitido por la Corona española y por la Iglesia. Su situación jurídica era patética: apenas existían, su dueño podía disponer de ellas como le viniera en gana. Algunas de las enjuiciadas por hechicería fueron: la negra Isabel por encontrársele polvos; Catalina Antonio de Rojas por usar hierbas; las mulatas Melchora González, María Mora, Mari Pérez y Ana de Ortega; Ana de Sosa por bruja, pues decía que hablaba con el diablo. El negro Alonso Pérez fue enjuiciado por curar con brujería y el indio Alonso por curandero. Miguel Jasso Coyote y la mulata Marcela fueron acusados de maléficos.

El caso más sonado de brujería en la historia colonial del puerto fue el juicio contra la española María de la Luz (alias la Ceibana) y sus dos camaradas, la negra Rufina y la india Antonia Xeke, vecina del barrio de San Román, quienes incitaban a sus amistades a ser uno más de los demonios del puerto.

En este rincón del Golfo de México, donde el calor y la quietud exaltaban a hombres y mujeres, los ministros de la Iglesia no escaparon a la tentación. Muchos de ellos se convirtieron en aliados del demonio, atraídos por un par de senos o un par de nalgas casi al descubierto por la ligera ropa usada en ese puerto sin inhibiciones que hervía en sí mismo. Los curas se persignaban, se flagelaban, rezaban miles de oraciones para tratar de salvar su alma, pero la carne, inmensamente débil, los obligaba a solicitar los placeres carnales de las mujeres que se acercaban a ellos para confesarse. Por solicitantes se les siguió proceso inquisitorial a fray Agustín de San Bernardo, alias Juan Pérez Quintero, y conocido como "el clérigo de la papera"; a Juan Raimundo Rodríguez, al carmelita Miguel de San Francisco, al franciscano Francisco de Guzmán, a Alfonso Pérez, a Mateo González, al agustino Francisco de San Esteban y a José Manzanilla. Todos ellos trataron de seducir o sedujeron —con hechos o palabras— a sus confesantes. Se convirtieron en demonios del puerto: el placer pudo más que la razón de la doctrina.

En fin, el Tribunal del Santo Oficio de la Inquisición —creado para reprimir expresiones contrarias a la Iglesia y para moldear los comportamientos según los principios católicos— seguramente tuvo una formidable influencia en la sociedad colonial campechana. Sin embargo, muchos de los demonios del puerto nunca escarmentaron. Al caer la tarde, los últimos rayos del sol rojo-púrpura dejaban a los moradores calientes por fuera, mojados por dentro. Entonces, hombres y mujeres se bañaban, se rociaban perfume, se ponían nuevas prendas y salían a pasear por la aduana y el parque central. Algunos asistían a misa, pero otros hacían planes para cuando todo estuviera callado. Los amores prohibidos se consumaban preferentemente en las embarcaciones, donde sólo el mar y la oscura noche atestiguaban sus perversiones. Los demonios del puerto de Campeche se confundían así con el reflejo de la luna en aquel mar apacible, pero lleno de aventuras.

CARLOS E. RUIZ ABREU. Doctor en historia por la UNAM. Ha coordinado proyectos de investigación en los Institutos de Cultura de Chiapas, Campeche y Tabasco y en la Universidad de Ciencias de Chiapas. Se ha especializado en historia económica y social del sureste de México en la época colonial. Es miembro del Sistema Nacional de Investigadores.

Iglesia de Santa Lucía.

CALIDEZ DEFENDIDA

Luces

ombras

entre muros

de la

ciudad

José Enrique Ortiz Lanz

Sólo una ciudad mexicana ostenta hoy un cinturón de piedra. Única es también su historia, estrechamente ligada a la muralla que levantó contra la amenaza pirata, pero que tantas veces la defendió de muchos otros insospechados peligros. He aquí tal historia de claroscuros.

a península de Yucatán no era como el resto del territorio al que los exploradores del siglo XVI se habían aproximado, por el contrario, era una tierra plana, hasta donde la vista podía llegar. Las extensiones eran enormes y muy diferentes de las accidentadas islas del Caribe, a las que en pocos años estos nuevos argonautas se habían habituado: una costa de vegetación exuberante, con una fauna desconocida y, al aproximarse, restos de antiguas ciudades que parecían El Cairo, poblaciones fantásticas, como encantadas entre las trepadoras que abrazaban las piedras. Las paredes, de tan blancas, relumbraban devolviendo una luz enceguecedora; muchos pensaron que eran de plata y así las describieron. No sabían de la argentada cal que de ahí en adelante se encontrarían por todas partes.

La noticia de una tierra maravillosa, con calles tapizadas de plateadas piedras, se extendió como reguero de pólvora; a las primeras expediciones se siguieron otras. Los marinos no se cansaban de alabar sus recientes hallazgos, algunos decían que por fin habían llegado a Catay, otros —con un poco más de juicio— que aquello era diferente. Sólo al hallar a los nativos el mapa empezó de nuevo a encajar. Era otra tierra, muy poblada, y la primera pregunta fue: ¿tienen oro? La respuesta era afirmativa y la sed, el mal de los conquistadores, se acrecentó. Nadie se preguntó de dónde venía, lo importante era obtener las doradas joyas con relieves extraños. Finalmente alguien más avisado formuló la pregunta y la respuesta fue continuar el viaje, dejar la isla —porque eso pensaron de Yucatán— e ir todavía más al poniente, siguiendo al sol, hacia el imperio del que provenían esos tesoros: el dominio del Anáhuac.

Una vez concluido el sacrificio del reino de México, los conquistadores empezaron a repartirse los vastos territorios que los rodeaban. Un extremeño como el capitán Cortés, Francisco de Montejo, obtuvo como premio a su trabajo mostrando la cruz, pero sobre todo desenvainando la espada, la graciosa concesión del rey español de conquistar la tierra de los mayas, despreciada por no tener en sus entrañas la brillante sustancia.

La tarea no fue fácil; poblaciones enormes y hostiles se arremolinaban en torno a los pocos cientos de aventureros. Finalmente, cansado de tantos combates, el nuevo capitán tuvo que ceder el puesto a dos descendientes suyos, ambos del mismo nombre, llamados por la historia: el Mozo y el Sobrino, para diferenciarlos de él, el Adelantado.

En torno a 1540 comienza realmente nuestra descripción, cuando finalmente los bisoños Montejo lograron apropiarse de una ciudad clave: Ah-Kin-Pech o Kan-Pech. Los cronistas vacilan en darle un nombre seguro, pero para evitar esas confusiones será mejor llamarla San Francisco, en honor del triple patrono de los nuevos dueños del territorio y añadirle "de Campeche", en recuerdo de su origen indio. Con este mote, el puerto, ahora hispano, será conocido en el mundo; aunque el santo sea olvidado con el paso del tiempo.

Las instrucciones de el Adelantado al Mozo eran precisas: la nueva capital del reino debía estar en una antigua ciudad prácticamente abandonada, T'Hoo, la del cuadrángulo encantado, la de la empinada pirámide que parecía un castillo. Los españoles dejaron su confiable puerto y emprendieron la marcha.

Después de mucho sufrir, de mucha sangre, los tercos pobladores aceptaron a su nuevo rey y a los Montejo como sus únicos representantes. Los antiguos vestigios mayas de T'Hoo fueron entonces llamados Mérida, a semejanza de la urbe extremeña nacida sobre las entrañas de una ciudad romana.

PÁGINA ANTERIOR: **Acceso al baluarte de San José.** ABAJO: **Acceso al baluarte de San Miguel.**

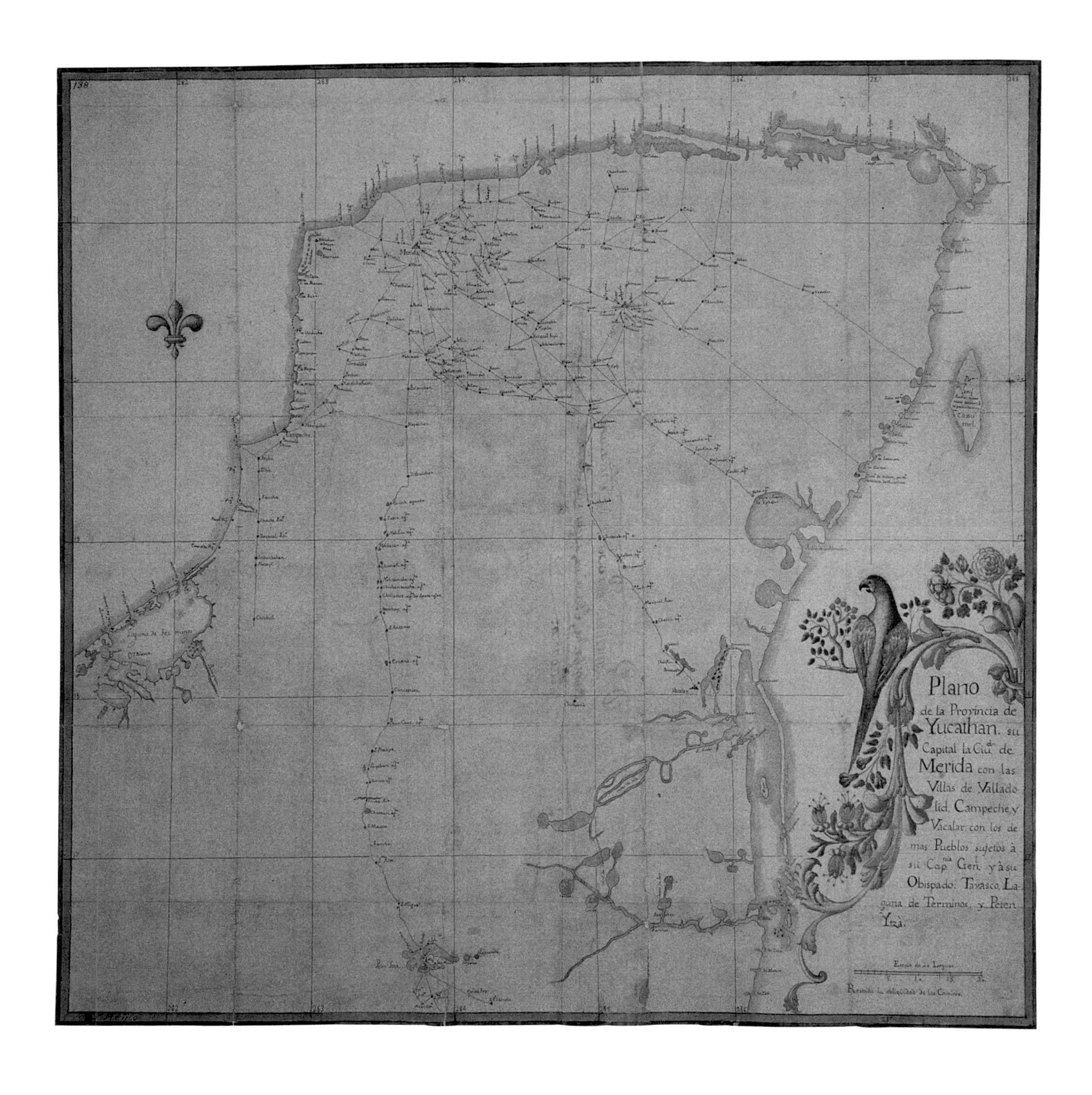

ABAJO: **Caña de timón. S. XVI. Ébano africano. Encontrado en el río Palizada en s. XIX. Baluarte de San Miguel. INAH.**

Ahora aparecía un nuevo problema: ¿por dónde sacaremos los tesoros del Mayab? ¿De qué parte de la costa llegarán nuestras mujeres? La respuesta no era fácil. Por el levante, hacia aquel mar de los caribes, las olas embravecidas rompían contra una enorme barrera coralina, y además estaba lejos, demasiado lejos de la ciudad sede del poder del rey y del papa; al norte, apenas a unas cuantas leguas, un mar que aparentaba calma pero que al llegar los tempestuosos vientos podía ser muy traicionero, pues azotaba y destrozaba las naves que se atrevían a desafiarlo.

Sin embargo, desconociendo el peligro, levantaron puerto en Sisal, y lo pusieron bajo la protección de la madre de Dios para hacer el milagro completo. Pero otros desafíos se oponían: un brazo de mar que separaba las blancas orillas de la tierra firme, una ciénaga que, con las primeras aguas, se volvía intransitable. Al sur, hacia lo desconocido, lo que ahora llamamos Petén, una densa espesura que se alzaba como la más misteriosa de las murallas, otro mar, éste de color verde, sin poblados y lo que es más, sin agua a pesar de su verdura. Contradicciones propias de tierras exóticas.

Así, no quedaba más remedio que volver los ojos al punto de llegada, al puerto del patrono san Francisco con apellido de Campeche, donde los barcos ya habían probado calado. Su costa, protegida un poco más de los temibles ciclones y otras tempestades norteñas, podía abrigar las ansiadas embarcaciones, a pesar de su baja profundidad. Defecto que, con el paso del tiempo, se volvió diversión de los lancheros, porque de ahora en adelante las grandes naves tendrían que permanecer a lo lejos, ansiando aproximarse pero temiendo a los peligrosos arenales y todavía más a la marea baja, cuando el mar, como si temiera estar cerca de esta tierra, huyera lo más que pudiera dejando varados a los incautos.

Comienza la leyenda

Los pocos pobladores hispanos que decidieron establecerse en San Francisco, quizá con la esperanza de ser los primeros en tener noticias de la añorada tierra, empezaron a juntar mercancías, fruto del saqueo algunas, otras del derecho que su rey les había dado, y las más del pago que en adelante debían los indios a estos benditos hombres recién llegados por el inmenso favor de educarlos, de enseñarles la palabra divina y las costumbres que marca el nuevo dios, privilegio que, muchas veces, es cobrado con la vida a falta de tributos que dar. A esta obligación, para no ofender, la llamaremos encomienda.

Pero hubo otros hombres que no entiendían de palabras santas, a pesar de que el mismo papa Alejandro VI, y sólo de pura coincidencia de apellido Borja, que los italianos mal traducen como Borgia, dijo que todo el territorio encontrado y por descubrir se dividiría, porque Dios así lo quería, entre España y su vecino Portugal.

Fueron primero los franceses y luego los súbditos de la rebelde Isabel de Inglaterra, quienes desobedecieron la orden del dios ibérico. El rey Enrique I de Francia, eterno enemigo del primer rey español de la Casa de Austria, Carlos V, se atreverá a blasfemar: "¿Qué? ¡El sol brilla para mí como para todos los demás! ¡Me interesa ver la cláusula del testamento de Adán donde me excluye de una parte del mundo!"

La guerra era segura y lo mejor era aprovechar la enorme vastedad del territorio para tratar de quedarse con parte de ese río de oro que corría entre América y Sevilla. Pero debían organizarse, dar una licencia, un permiso para atacar las posesiones enemigas, una patente de corso, de ahí que surgieran los corsarios. Grande fue la sorpresa de la población del flamante puerto cuando se tuvo noticia de la llegada de la ansiada primera embarcación de

Arriba y abajo: **Planos manuscritos lavados en colores. Servicio Geográfico del Ejército. Madrid.**

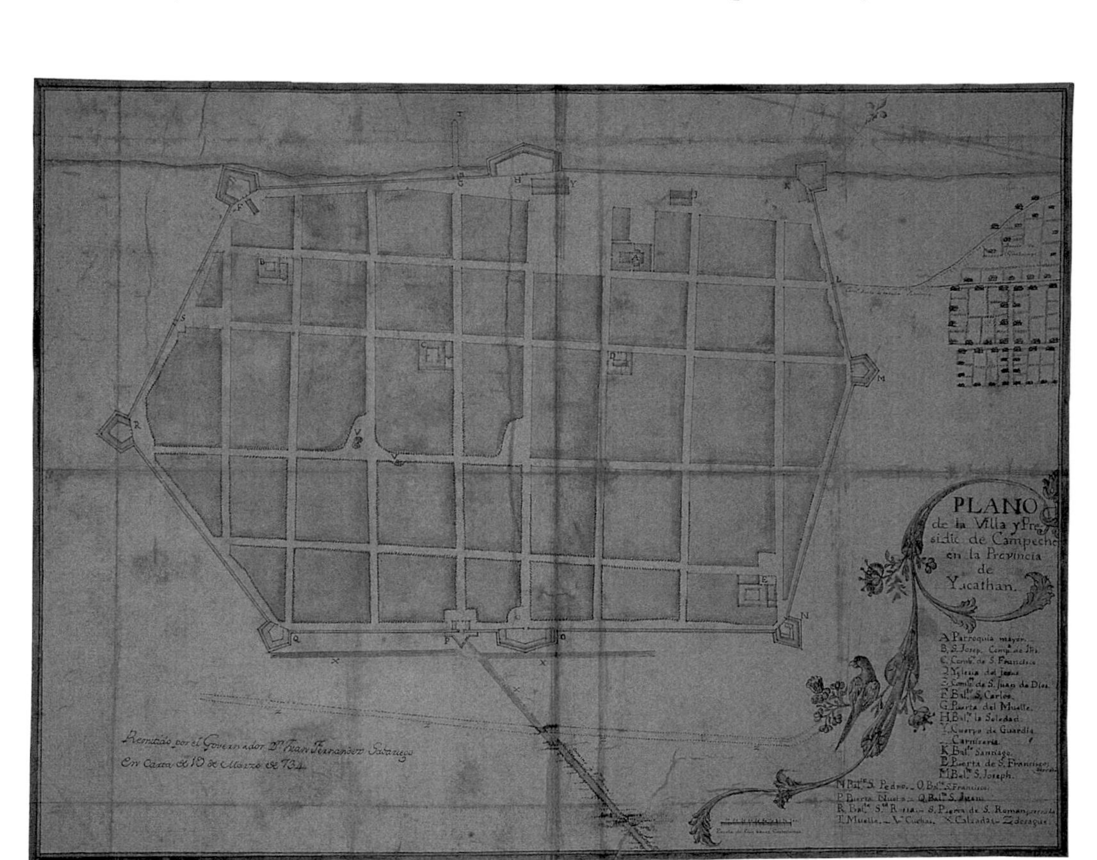

gran calado. Mayor cuando, impotentes, contemplaron cómo los herejes, porque eran franceses y para colmo luteranos, se apoderaban de su cargamento.

El camino en la mar estaba ya trazado; el puerto en medio del viaje entre La Habana y Veracruz se volvía cada vez más una escala anhelada. Sobre las naves, los marinos veían preocupados cómo el agua dulce se agotaba, las galletas se teñían de un verde muy sospechoso, el tasajo no disimulaba su olor por más especias que se emplearan para adobarlo y las bodegas se encharcaban con agua salada. Era necesaria una estación de aprovisionamiento y un astillero donde se repararan los daños del tiempo en los tablones cubiertos de moluscos, y cuál mejor que ese lugar de la costa maya con aguas tan tranquilas —siempre y cuando no soplaran los violentos vientos del norte— que muchos se preguntaban si más que un mar no era aquello un inmenso y pacífico lago de agua salobre.

Al fin los españoles encontraron oro; más no aquel dorado polvo que tanto le había costado a otras regiones de América. Era una extraña madera, un árbol que como gigantesca araña se alzaba sobre sus raíces aéreas, como si la naturaleza quisiera construir enormes y caprichosas ciudades palafíticas para las garzas, cormoranes y palomas que las poblaban. Eran los manglares que se extendían, impenetrables, a lo largo de los bordes del soñado eterno lago. De las entrañas de tanto palo brotaba una sustancia capaz de entintar las telas más finas con una gama de colores que iban del púrpura al negro. Después de tanto buscar, de tanta sangre, ¿quién lo hubiera dicho?, una planta iba a construir la riqueza de toda una región, porque entonces los sabios españoles decidieron que el zumo de aquel árbol, al que llamaron para que no quedaran dudas "palo de tinte" o "palo de Campeche", únicamente se podía comerciar desde Andalucía, y que si los ansiosos fabricantes de textiles europeos lo querían, a ellos y a nadie más debían acudir. Anhelo vano.

Pero esa prosperidad no sólo iba a atraer a las naves amigas; el puerto era abierto, demasiado, y su costa ofrecía escondrijos para las embarcaciones pequeñas, como las que les gustaban a los corsarios, acostumbrados a burlarse de los pretenciosos y grandes navíos de Felipe II, impotentes ante tal despliegue de destreza y poco calado.

Protegidos sólo de palabra por la orden divina del papa, los nuevos colonizadores vieron impotentes cómo las naciones enemigas les robaban la herencia sagrada. Primero las islas más pobres y después, ¡sacrilegio!, las orillas de enormes territorios continentales. Los habitantes de San Francisco de Campeche se escandalizaban por el enorme tráfico de la madera, sobre todo aquella prohibida por el monopolio de los colorantes.

Pero los infieles ingleses llegaron más lejos: se instalaron desfachatadamente en donde los cartógrafos habían dicho que acababa la isla de Yucatán, en la Laguna de Términos, que los dibujantes de mapas, acostumbrados a las abreviaturas, habían marcado como "Tris". Era la zona más rica y poblada de maderas preciosas: en las márgenes, sus enormes tintales, y adentro, en la verde espesura, las otras gemas de la selva tropical: los preciados cedros y caobos.

El colmo era que estos cortadores de tesoros vegetales fueron más allá. No conformes con sus nuevos ranchos, establecieron una base desde la cual los ataques al puerto de Campeche y a las pequeñas poblaciones costeras se sucedieron con una periodicidad desesperante. Las intrépidas embarcaciones que se atrevían a emprender solas el viaje eran las víctimas predilectas.

Pero no todo era atacar, mucho se fue en comerciar y, más aún, en introducir ilícitamente las mercancías: el

ABAJO: **R. Llobet. Plano del reducto de San Miguel. 1791. Servicio Geográfico del Ejército. Madrid.** DERECHA: **Fuerte de San Miguel.**

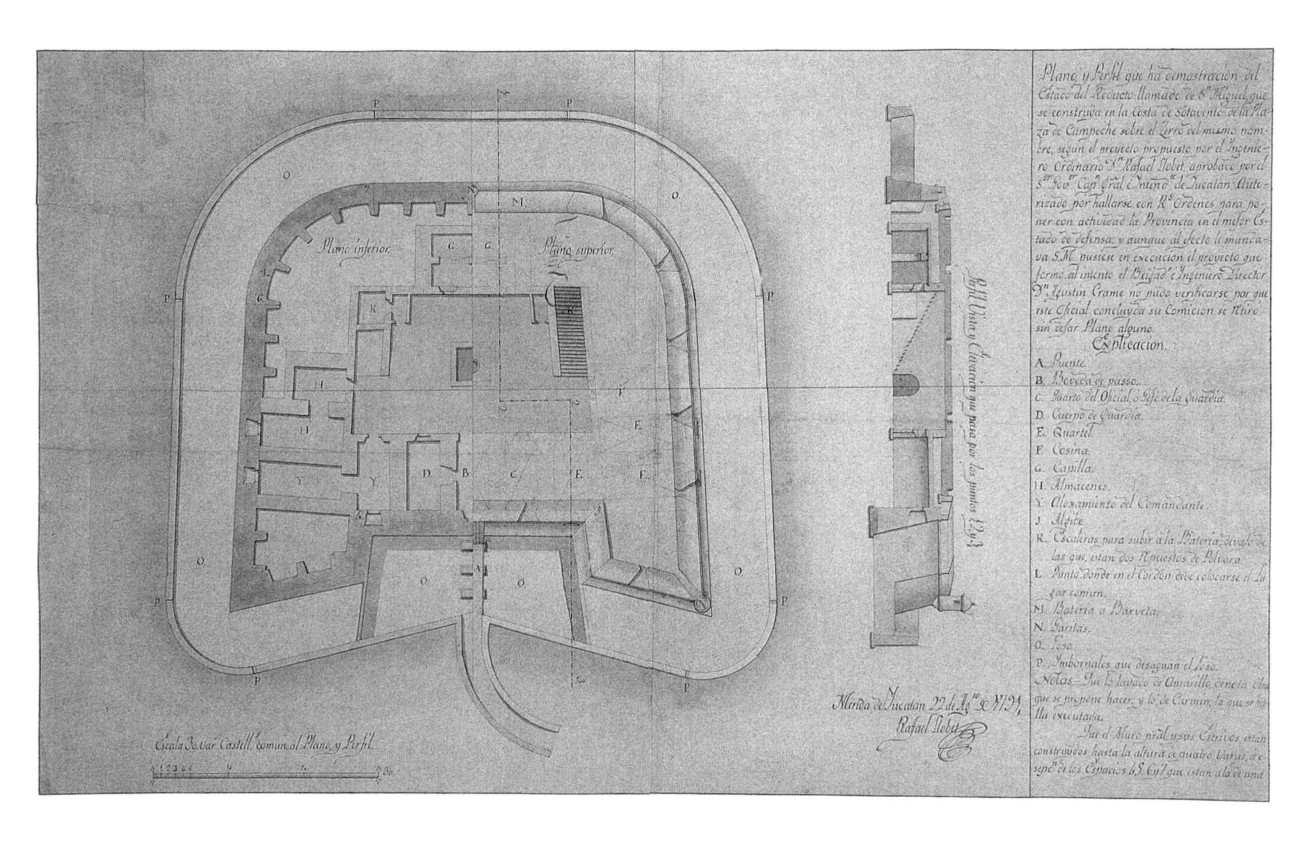

penadísimo contrabando. Muchas de las relaciones establecidas con esos oscuros fines entre la nueva colonia inglesa y el puerto español han sido borradas o nunca escritas y descritas. Campechanos piratas, como Juan Darién, quien se unió a las huestes del terrible Morgan; esclavos africanos que crecieron en el puerto y luego lo atacaron, como Diego, llamado el Mulato por su mezcla, quien lloró sobre el cadáver de su padrino, muerto en uno de sus asaltos, son fruto de esta estrecha relación olvidada, aunque no las mercancías que se agolparon en las bodegas de los comerciantes del puerto y que, por más esfuerzos de los funcionarios reales, eran inagotables: cerveza inglesa, telas francesas, vinos italianos, quesos, encajes y otras delicias de los Países Bajos aparecían misteriosamente en la población, y de allí se difundían por todo el antiguo territorio del Mayab, para delicia de los encargados de mantener el orden humano y divino en esta tierra de impíos e ignorantes que no necesitaban de las maravillas de la otra parte del mar.

La villa fortificada

¡Quién lo hubiera dicho! Las iglesias convertidas no sólo en instrumentos para la defensa de la fe, sino para asuntos más mundanos como los ataques piratas. Así, el convento y la iglesia de San Francisco, en el barrio que tomó ese nombre, pero que era realmente el antiguo poblado maya, se transformaron en la primera defensa de la villa, que ya no únicamente puerto, cuando en 1597, un inglés que los campechanos llamamos Guillermo Parque y que en su lengua se le conoce como William Parker, se atrevió a desembarcar y asaltar la población. Los rezos y plegarias esta vez fueron escuchados y por más que el enemigo trató de romper las puertas, la dura madera de zapote resistió. Finalmente, los papeles se habían invertido y los perseguidos se transformaron en perseguidores en un violento juego en el cual muchos hubieran preferido no participar, sobre todo los súbditos de Isabel de Inglaterra.

Para evitar tamaños sustos, las autoridades decidieron, en 1610, iniciar las obras de defensa del puerto. Pero, ¿quién iba a estar detrás de esos muros? La milicia de la villa era tan poca que no podría frenar el avance del menor contingente de esos malos hombres, enemigos del rey. No quedaba otra, tenían que ser los propios varones de la villa, los blancos, desde luego, que con sus lanzas, escudos y espadas se quedarían con el crédito de las victorias, pues el enorme apoyo de los flecheros de origen maya y del centro de México no tenía importancia, por ser cosa de indios, que ellos no tienen honor ni obtienen privilegios por servir a la Corona.

Y bien, ¿dónde deberían quedar esas joyas de la arquitectura militar? Tres debían ser los puntos a defender en el puerto: desde luego, el más débil, San Román, por venir de allí el camino de Lerma y porque a su costa, la de más calado, llegaban generalmente esos descarados; a esta fuerza, palabra antigua que usamos para decir fuerte, la llamaremos San Benito, en honor del santo monástico cuyo nombre era invocado contra el veneno y, desde luego, para obtener una buena muerte. La protección de un santo tan poderoso no impidió que su construcción, humana al fin, tuviera tantos defectos que acabó bombardeada y volada por un ateo holandés, el muy temible Mansvelt, que no entendía de defensas celestes, pero sí comprendía que había que completar el milagro y darle un buen fin.

Convenía también levantar una fortaleza en las orillas de la plaza, cerca del pozo que abastecía a algunos vecinos, y de la temible picota, para completar la representación de los poderes que rodeaban este lugar: el divino con su

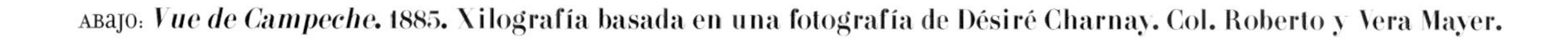
ABAJO: ***Vue de Campeche.* 1885. Xilografía basada en una fotografía de Désiré Charnay. Col. Roberto y Vera Mayer.**

parroquia, el monárquico con las Casas Reales y el ayuntamiento, los encomenderos principales, con unas hermosas y frescas viviendas y, finalmente, los pocos militares con la fuerza —o fuerte— que más nombres ha recibido en toda la historia de Campeche. Comenzamos llamándola San Francisco, en homenaje al santo que le dio su nombre a la población, para continuar nombrándola el Principal, como correspondía a su fortaleza e importancia; el Bonete, porque nos recordaba ese sombrero de dos picos que usaban los padres; la Fuerza Vieja, porque fue la única que resistió con cierta dignidad los embates del enemigo y terminaremos denominándola San Carlos, para alabar al rey en turno, el tristemente gris Carlos II, rama estéril que dejaría morir el árbol de la Casa de los Austria en España.

Si alguna vez hubo defensa inútil en la villa, lo fue la tercera de aquellas levantadas a inicios del siglo XVII: San Bartolomé, entre los barrios de Guadalupe y de San Francisco. Alguna vez, cerca de 1678, sólo sirvió para ver pasar a otro delincuente, Lewis Scott quien, burlándose de la seguridad de la población, se atrevió a desembarcar por donde nadie había osado y tomar la villa por sorpresa.

Algunos años tendrían que transcurrir, muchos piratas que llegar y más campechanos que morir para que las autoridades decidieran mejorar las obras de defensa. Pero pensaron sólo en la costa del lado de San Román y qué mejor que cortar el camino y cerrar el acceso a Lerma con una trinchera con sus fortines y una fuerza llamada ahora de la Santa Cruz, como corresponde a los maderos levantados sobre el cerro y cuya sombra seguramente atemorizaría a aquellos delincuentes que ahora se hacían llamar filibusteros.

¡Quién hubiera imaginado que lo peor de todo estaba todavía por llegar! Mientras nos ocupábamos de fortificar mejor la población, el gobernador Esquivel hablaba de su proyecto del gran rectángulo de 1664 y el sabio flamenco, don Martín de la Torre, hacía una pausa en sus observaciones astronómicas para trazar un proyecto y escribir su *Discurso sobre la planta de las defensas de la villa*, de 1680, los habitantes de La Tortuga, esa isla maldita cercana a Santo Domingo, pensaban en apoderarse de esta población dormida tras sus inútiles defensas y así lo hicieron de una manera sobrecogedora.

La mañana del 6 de julio de 1685 quedó grabada con sangre y fuego en la memoria de sus habitantes. El día más triste de su castiza historia había llegado y así la historia se repitió. Todo el dolor, todas las vidas, todo el trabajo, todos los pesos arrancados a los indios fueron pagados en carne propia.

Setecientos filibusteros bien armados y mal intencionados hicieron lo que los sueños de poder habían creído imposible, las defensas del puerto de Campeche caían una a una ante el arrollador avance del que oficialmente y con temor llamaremos Laurent Graff, pero que con más pavor, cual si fuera el nombre del demonio, se oía sonar como Lorencillo.

Cuando los azorados supervivientes, entre los restos humeantes de lo que fuera el orgulloso puerto de San Francisco de Campeche, la llave de las maderas preciosas de América, la puerta de acceso a la Capitanía General de Yucatán, vieron lo que quedaba de sus fantasías —vestigios de muros y sueños derrumbados, maderas y vidas preciosas cortadas y desperdigadas, virtudes y tesoros robados, archivos y recuerdos por siempre perdidos— tuvieron que tomar una decisión trascendental: o la ciudad quedaba por siempre fortificada o era devuelta a sus pobladores más antiguos, las aves y los peces. La elección sólo podía ser una y así fue tomada.

■ La villa cerrada

Mientras algunos recogían de entre los restos del naufragio de la villa sus escasas pertenencias y preparaban su equipaje hacia Mérida, Veracruz o La Habana, otros, ya sólo una tercera parte de sus habitantes, tomaban la decisión final: el centro de la villa quedaría definitivamente encerrado en sí mismo, con paredes altas que pudieran frenar a piratas y filibusteros. La cooperación fundamental fue de los supervivientes, pese a sus fortunas muy disminuidas y hasta el propio rey, apiadado de tantas tristezas, donó fondos para construir el sueño.

Armados de determinación, el 3 de enero de 1686, los campechanos asistieron orgullosos a una solemne ceremonia para celebrar la apertura de los cimientos de la muralla. El proyecto, que tomaba en cuenta el realizado por don Martín de la Torre, científico flamenco que por extrañas cosas de la vida había venido a dar a esta lejana costa de Dios, fue modificado por un aficionado de reconocido mérito, don Pedro Osorio de Cervantes, sargento mayor y autor del sistema que haría famosa a la población, y contó con el visto bueno de don Jaime Franck, otro distinguidísimo ingeniero militar que estaba encargado de las obras de Veracruz.

Durante poco más de 20 años la población se transformó en una especie de enorme cantera con las piedras que iban llegando de sitios cercanos. La cal regional, llamada *sahcab* —literalmente tierra blanca—, se extraía de cuevas situadas casi al borde de la construcción; los encargados de los trabajos no se daban cuenta —o fingían no dar importancia— a la telaraña de túneles que se iba extendiendo debajo de la villa. Cuando la obra estuviera concluida y los guardias apostados a las puertas —entre otras cosas para cuidar el pago de los impuestos por la entrada de las mercancías—, los túneles iban a revestirse de leyendas de aparecidos y hechiceros transformados en animales —como el famoso *chivo-brujo*—, con la finalidad de entretener y espantar a los niños en las noches lluviosas, pero sobre todo para introducir el contrabando. En la zona ahora llamada "de intramuros", temprano por la mañana aparecían milagrosamente en las bodegas de no pocos comerciantes, como depositados por los espíritus que poblaban leyendas y cuevas, muchos productos sujetos a fuertes pagos de derechos. Las autoridades, siempre de acuerdo, pretendían ignorar los caminos enterrados. Un siglo más tarde, técnicos más preocupados propondrían volar gran parte de estas vías, por el temor a la entrada del enemigo, indudablemente con la clara idea de evitar a las ordenadas autoridades borbónicas una fuga de divisas.

Los pobladores que iban quedando dentro del enorme cerco se acostumbraban paulatinamente a una nueva rutina de vida. A partir de entonces, cada vez que se tuviera que realizar un servicio, un cobro o, simplemente, dar un paseo, tendrían que salir por alguna de las dos puertas que miraban hacia los barrios de San Román y Guadalupe, de donde tomaron su nombre esos pasos. Además, hacia el azul horizonte, se alzaba una tercera puerta, la llamada de Mar, que daba paso al pequeño muelle en donde se arremolinaba buena parte de la vida de la población. Hasta ahí llegaban las canoas y lanchas que desembarcaban los productos de las naves ancladas un poco más lejos; los pescadores, con grandes gritos, anunciaban los frutos del trabajo en las horas de la aurora; las mulas atadas a las carretas y los cargadores contribuían a la algarabía con sus relinchos y voces, anunciando el destino de las cargas, y los mirones se unían a la confusión adivinando los contenidos y destinos de aquellas mercancías.

Grabado en cobre. Tomado de Ioannes de Laet, *Historie Ofte Iaerlijck Verhaelten*... 1644. Leyden. Col. Roberto y Vera Mayer.

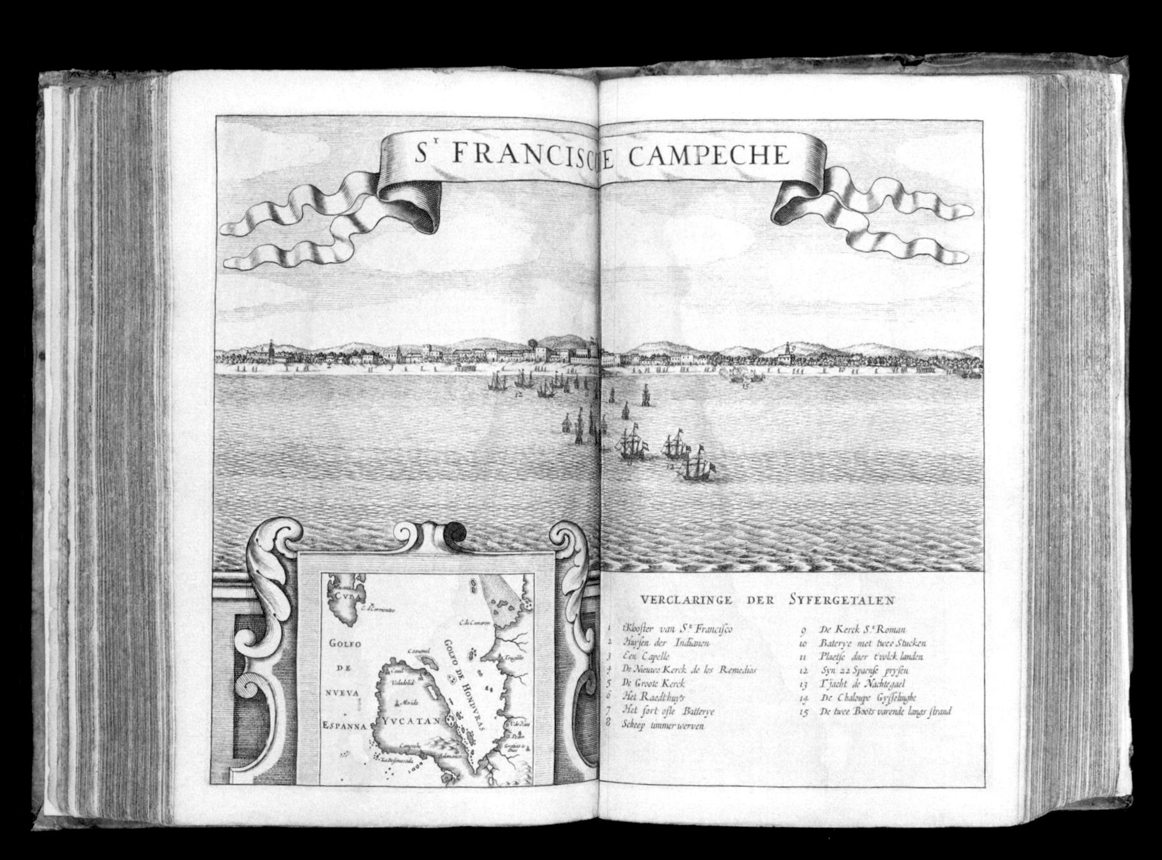

Pero los que estaban fuera, los habitantes de los barrios, veían con preocupación cómo las distancias aumentaban. Ahora las imágenes se repetían: una india de Santa Ana o Santa Lucía tenía que caminar entre hoyos, piedras y montones de cal haciendo gala de más pericia al sostener sobre la cabeza su exótico tocado consistente en canastas llenas de saramuyos, pitayas, guayas o delicados zapotes; dos pobladores de San Francisco, soportando el pesado sol, renegaban por las nuevas cuadras que recorrían espantando moscas y llevando a duras penas los trozos de carne de cerdo que habían sacrificado por los rumbos del Matadero Viejo, y tres trabajadores de los astilleros de San Román tenían que transportar su pesada carga de blancas lonas usadas para la fabricación de las velas por caminos mayores que conducían a los astilleros, sin la bendición de las antiguas brechas. Pero esto no importaba, lo fundamental era que los señores estuvieran seguros, porque los técnicos no entienden de problemas cotidianos.

Adelantándonos a nuestra historia, mencionaremos el caso de la cuarta puerta de la muralla: en 1732 el gobernador Figueroa se ganó la enemistad de prácticamente toda la población al sugerir un cambio más; siguiendo las indicaciones de los ingenieros cerró las puertas que unían el centro con los dos barrios principales y abrió una nueva, a la que llamó de Tierra. El clamor de los campechanos fue unánime, pero tomó casi 30 años para que las autoridades cansadas de tantas quejas, decidieran abrir nuevamente las puertas de San Román y Guadalupe, oyendo no tanto las voces indígenas sino las quejas de comerciantes y religiosos que veían con preocupación sus establecimientos vacíos y sus cajas mermadas al quedar fuera del flujo de pobladores canalizados forzosamente por la calle que une la Puerta de Mar con su opuesta de Tierra.

Pero volvamos a la muralla, apenas al cierre del siglo XVII, el recuerdo de la sangre vertida imprimió velocidad a unas obras difíciles.

En pocos años —según los reportes, precisamente en 1688—, ya se tenían avances en seis baluartes y otras tantas cortinas —así llamaban los técnicos a los lienzos de muro que corren de baluarte en baluarte—, pero el dinero se escapaba como la arena que los niños de San Román recogían entre los dedos; por lo que al año siguiente los constructores enfrentaban serias dificultades para continuar con el ritmo del temor. Eran necesarias nuevas aportaciones y ahora fue el turno de la Iglesia, tanto de las órdenes religiosas como del obispo; de los gremios y hasta de los ayuntamientos de las otras dos poblaciones blancas de la Península: Mérida y Valladolid. Estas donaciones dieron nuevos bríos a la realización del escudo protector.

Por más que las autoridades presumían la economía de la fortificación de Campeche, debida sobre todo a la disponibilidad de mano de obra india, y de piedras y cal en la cantidad que se deseara, los recursos se terminaban y se tuvo que recurrir a un impuesto especial: esta vez sobre la sal, otro de los productos que eran comerciados en gran medida. Así, fue hasta 1704 cuando se colocó un dintel en la puerta del baluarte de Santiago, que años después los estudiosos confundirían con la fecha de conclusión de la muralla y que en realidad correspondía a la terminación del último baluarte. Pero los lienzos no estaban concluidos y las puertas estaban sin defensas. Hasta 1710, Campeche pudo contar con su segundo sistema de defensas y, orgullosos después de más de 24 años de esfuerzos, sus habitantes seguros tras sus muros esperaron los ataques de las naves filibusteras. ¡Quién hubiera dicho que faltaba mucho tiempo para la prueba final!

abado de P. Montanus. Tomado de Ben Jacobs v. Meurs (edit.). *Die unbekannte Neue Welt*. 1671. Amsterdam. Col. Roberto y Vera Mayer.

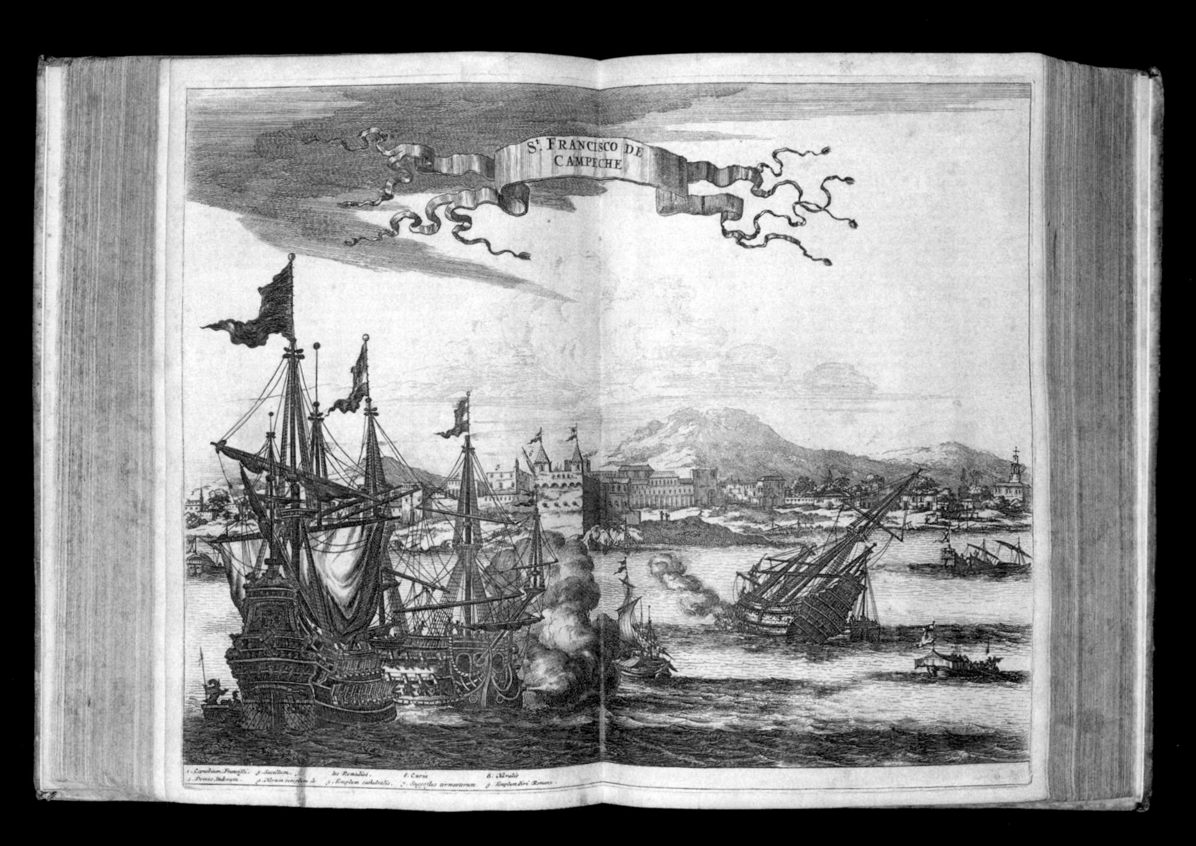

Piratas en la villa

Sin embargo, no podemos afirmar que la fortificación de la villa haya sido inútil. Todavía, cuando las obras estaban en curso, varios filibusteros atacaron otras poblaciones del Caribe, pero la dolorosa experiencia campechana de 1685 no se repitió. Debemos decir a favor de la muralla que si no fue atacada es porque representaba un obstáculo que la mayoría de esos delincuentes prefirió evitar. Sólo las argucias podían vencerla y sólo un pirata lo logró.

Un filibustero de extraña presencia fue el único vencedor de la difícil prueba: entrar en Campeche, probablemente la plaza fuerte mejor defendida de todo el Golfo de México. La gente con temor le llamaba Barbillas, por los descomunales bigotes que lo caracterizaban, y conocía la obstinación con la que se había dedicado a patrullar la costa que corría desde la Laguna de Términos, donde encontraba refugio en caso de necesidad, hasta las puertas del mismo puerto fortificado. En 1708 se atrevió a desembarcar en la cercana Lerma, un pequeño puerto defendido por una torre más simbólica que funcional; el saqueo y la destrucción fueron la prueba de que la piratería no estaba muerta todavía, a pesar de los acuerdos a los que se aproximaban las potencias europeas.

Envalentonado todavía más con el victorioso ataque al pequeño puerto, Barbillas recorrió la sonda de Campeche, donde capturó cuanta embarcación tuviese la mala fortuna de atravesársele. Uno de los malhadados pasajeros fue el recientemente nombrado gobernador de la provincia, el portugués don Fernando Meneses Bravo de Saravia, cuya nave cayó en poder del filibustero que, al darse cuenta de la calidad de su presa, pidió un rescate de 14,000 pesos, fortuna que no traía consigo el flamante gobernante.

Todavía nos maravilla el comportamiento seguido por don Fernando, quien dando su palabra de caballero en el sentido de que el rescate sería cubierto, se dejó acompañar por su captor durante su desembarco en la villa. El estupor de los campechanos debió ser mayúsculo al ver en la Puerta de Mar una comitiva tan extravagante: un nuevo señor tan aderezado como sólo correspondía a gente de buena cuna, rodeado por una serie de delincuentes. Meneses se identificó y convocó a una reunión del cabildo, pidiendo licencia para que Barbillas entrara a la sesión con la garantía de que no sufriría ningún ataque. Las autoridades se encontraron en tamaño dilema: después de tantos esfuerzos, de tanta sangre, se veían forzados a dejar entrar en pleno corazón de la villa a uno de sus más encarnizados enemigos. Luego de sesudos y complicados razonamientos se dio la aprobación y la gente, atenta como siempre al rumor, se agolpó para ver pasar tan inolvidable desfile.

La reunión del cabildo fue quizá la más polémica y, con mucho, la más memorable en toda la historia del puerto: el gobernador pidiendo que le fuese otorgada la suma convenida al pirata y las autoridades locales francamente opuestas a esa incomprensible idea, en una discusión en la que todos tomaron la palabra, hasta el propio Barbillas. La idea de los campechanos era aprovechar la debilidad del filibustero para capturarlo allí mismo y hacerlo pagar de una manera ejemplar todas las cuentas pendientes; sin embargo, el gobernador se mantuvo inflexible: había otorgado su palabra de honor y, como tal, estaba dispuesto a mantenerla hasta sus últimas consecuencias. Al final, Barbillas abandonó la villa con el dinero y la vida a cuestas, sin saberse protagonista de esta comedia de caballerosidad y villanía con la que se cerraba de una manera inesperada el último capítulo de una historia de terror

para dar inicio al ciclo de leyendas, cuyos personajes, idealizados algunas veces y caricaturizados las más, serían los nuevos e inexistentes habitantes de las flamantes fortificaciones.

EL RUGIDO DEL LEÓN INGLÉS

Iniciaba apenas el siglo XVIII y, como en todos los cambios seculares, las esperanzas de una mejoría se agolpaban en las mentes de los pobladores de la comunidad hispana. Pero el peso de las acciones del siglo anterior acabó triunfando y España y sus virreinatos, en crisis permanente, se encontraron con una herencia que los transformaría radicalmente.

Así, en 1701, la noticia corría del muelle a la plaza y de allí en sus seis direcciones: "¡El rey ha muerto!" Los pensamientos se dividían, mientras algunos se preocupaban por organizar las ceremonias fúnebres que debían realizarse en la parroquia, otros, los más avisados, se preguntaban qué pasaría con el futuro de la Madre Patria, sin heredero y con el trono vacío. En los siguientes meses se recibieron noticias aún más confusas: el heredero era un Borbón, de la corte de Luis XIV, quien al parecer quería hacer brillar su sol francés sobre toda América; después llegaron cartas hablando de la inconformidad de los Habsburgo de Austria, considerándose los reales sucesores al imperio que abarcaba prácticamente medio mundo; la guerra fue la respuesta que todos adivinaron y las naves, como aves de mal agüero, no dilataron en traer la nueva.

Felipe V, el nuevo rey, nieto del monarca de Francia, poco a poco fue tomando conciencia de la diferencia entre Versalles y El Escorial, entre el fausto y el derroche de su infancia y la austeridad y sobriedad que le imponía su nueva condición de soberano de un país muy disminuido.

En América, un puerto con fortificaciones a medias, recibía en 1705 a un francés enviado por su nuevo y preocupado rey: un ingeniero militar que traía el encargo de revisar la situación de las defensas de Campeche; su nombre era Bouchard de Becour. Ante el azoro de los pobladores, el francés realizó una revisión de las murallas, la gran maravilla de la tierra, y se atrevió a dictaminar que no tenían el suficiente grosor para enfrentar un ataque en regla. ¡Pecado propio de extranjeros! Los orgullosos campechanos se sintieron ofendidos y vieron con escepticismo el nuevo proyecto que preparaba ese hombre de habla extraña. Los planos enviados a Madrid no dejaban lugar a dudas, pensaba para sí el ingeniero, las obras se podían perfeccionar y con un poco más de recursos Campeche hubiera podido presumir de ser la plaza fuerte más moderna de América y no, como ahora, una villa recintada más con un muro que con una muralla. Finalmente, cansado de tanta incomprensión, Becour logró fugarse de la Nueva España para volver a sus añoradas tierras galas, dejando su sueño americano inconcluso.

Pero el nuevo rey, cada vez más integrado a su país adoptivo, se daba cuenta de la muy mermada potencia de España y del creciente poderío de otras naciones europeas, especialmente de la eterna enemiga, Inglaterra. Fue así como pensó en una nueva política, más agresiva, para recuperar parte de su herencia arrebatada; los historiadores le llamarán el Revisionismo. En Campeche las órdenes llegaron en 1716: se debía preparar una expedición para castigar a los tercos ingleses que habían ocupado la Laguna de Términos como si fuera propia. Entre la agitación de los preparativos destacaba la figura de un campechano que iba a cambiar la historia regional: don Alonso de Andrade, héroe local que logró derrotar a los ocupantes de la isla y construir, en un tiempo récord, un fuerte de madera que llamó de San Felipe para honrar a su rey. A partir de entonces,pese a varios violentos in-

tentos de recuperación, el refugio de piratas —la desleal competencia en el corte del palo de tinte, el centro de distribución del contrabando en la península— tendría que ser mudado de la Isla de Nuestra Señora del Carmen, y sus antiguos ocupantes trasladados para reforzar la ocupación de otro terreno vecino a la península, pero ya no de los campechanos y fuera de las rutas comerciales: las difíciles tierras situadas al sur del río de los Walix, o Belice, como ahora lo conocemos.

Después de muchos acuerdos y tratados, a partir de 1720 el mundo creyó que podía vivir en paz, pero desgraciadamente sólo era un sentir porque las guerras se sucedieron, aunque tal vez sin mayores consecuencias para las colonias. Sin embargo, otra vez la muerte de un soberano sin sucesor ocasionaría problemas: Fernando VI dejó a su hermano Carlos III, el rey de las Dos Sicilias, el ansiado trono español. Al decidir este monarca emprendedor su participación en la guerra de los Siete Años, se selló el destino de dos de las ciudades más importantes del imperio: La Habana y Manila.

Con las noticias de la captura del puerto cubano a cargo de los ingleses, Campeche vivió un estado de efervescencia; sus asustados pobladores creían ver las banderas enemigas a lo lejos y después de muchos años, los lejanos ecos de los cañones europeos se oían cerca, demasiado cerca. Se desempolvaron los vetustos arcabuces, las espadas eran sometidas a tratamientos feroces para limpiar a medias ese óxido característico de los trópicos, la pólvora, húmeda como es natural en estas tierras, se veía con preocupación.

Afortunadamente, a los pocos meses los borbones tuvieron que reconocer su derrota y firmar un tratado mediante el cual perdían La Florida y reconocían los derechos ingleses sobre Walix, a cambio de la devolución de sus dos gemas, de sus dos puertos fundamentales para el comercio.

La situación se volvía extremadamente peligrosa para Campeche y su provincia, pues como decían los propios ingleses, la estrategia no podía ser más simple: dueños ya de La Florida, si caía la península de Yucatán podían poner algunas escuadras a hacer el recorrido de lado a lado, cerrando irremediablemente el paso de la plata mexicana que de Veracruz partía hacia La Habana.

Sólo quedaba esperar que Campeche pudiera resistir un ataque de la marina británica, la más moderna de su tiempo. El informe entregado por el gobernador, don Antonio de Oliver, cayó como cubetada de agua fría en el confiado gabinete español: en su estado actual, la plaza de Campeche no podía presentar una defensa formal y era necesario cambiar la estrategia, no se debía confiar más en unas delgadas murallas; se hacía necesario construir otras fortificaciones en los lugares de más fácil desembarco para evitar la aproximación de las temidas naves enemigas.

Reductos y baterías fueron los nombres dados a las obras del temor a los ingleses. Esta vez las autoridades españolas no regatearon en calidad y las fortificaciones de la ciudad —porque en 1777 se le concedió graciosamente este título— eran de las mejores de todo el territorio americano y como tales son todavía consideradas, en particular sus dos reductos: San José y San Miguel, sin demérito de sus baterías, encargadas de evitar el temido desembarco final, mismo que gracias a ruegos y plegarias, encomiendas y tratados, componendas y triquiñuelas, nunca fue llevado a cabo. Como cien años antes, una vez más, las defensas de la orgullosa ciudad queda-

PÁGINAS 58-59: **John Phillips o Alfred Rider. *Campeachi*. 1848. Litografía acuareleada. 25 x 38 cm. Londres. Col. Roberto y Vera Mayer.**

ban esperando una prueba de su alabada resistencia. ¡Los días aciagos aún estaban por llegar!

Años de lucha

Seis veces tuvo la ciudad que resistir la prueba por años esperada. Ya no más fantasmas de piratas, románticos filibusteros o rabiosos corsarios. La realidad fue otra y más le hubiera valido a sus pobladores no haber soñado con la guerra: la lucha entre hermanos, entre mexicanos, cada uno defendiendo su proyecto de nación, cada uno combatiendo por sus ideales y sus razones. El país y la propia península desgarrados y desgarrándose a las puertas de una apacible población.

El desfile comenzó, como de juego, con un sitio a la ciudad en 1824, cuando nuestros vecinos peninsulares enviaron la llamada Columna Volante de la Unión con el afán de defender antiguos privilegios españoles en un país ya independiente; más que una lucha fue una fiesta; que continuó en 1840 con el sitio que le valió a la ciudad su título de Muy Heroica y Liberal. Aquella fue la primera vez que se dio un bombardeo sobre la ciudad intramuros, en el que participaron decisivamente notables personajes como don Pedro Sáinz de Baranda, quien prosiguió su lucha dos años después, cuando el eterno enemigo de Campeche, don Antonio López de Santa Anna, puso en asedio a la población con tropas llegadas del centro del país por más de año y medio. Así, los campechanos dieron muestra de su valor y las murallas, las que se habían creído débiles, resistieron el terrible ataque centralista.

Sin llegar a ser rodeada, la ciudad vivió otros años de terror durante la llamada guerra de Castas, cuando los refugiados blancos y mestizos se agolparon tras sus muros al ocupar los rebeldes mayas el Partido de Los Chenes y llegar a escasos 15 kilómetros del puerto. El peligro continuó en 1857, cuando al rebelarse el Partido de Campeche las fuerzas yucatecas se lanzaron contra las murallas, y destruyeron sistemáticamente los barrios; sin embargo, el centro amurallado resistió y los campechanos logramos la creación de un estado libre y soberano. Más tarde, en 1862, los vengativos gobernantes de Mérida, aliados con las naves de guerra francesas, asaltaron la urbe, y ante la amenaza de un bombardeo por parte de una de las potencias europeas mejor equipadas, la Francia de Napoleón III, la ciudad fue ocupada e integrada al efímero imperio de Maximiliano. Finalmente, en 1867, el héroe campechano don Pablo García logró recuperar la población y volver a obtener el reconocimiento de Campeche como estado independiente de Yucatán. Así, el desfile pareció interminable y las murallas, el orgullo local monumentalizado en piedra, pudieron desempeñar su vital papel en el gran drama de la guerra.

Sin embargo, a lo largo de casi 50 años de defensa continua, algo fundamental logramos los campechanos de nuestra fortificación: la propia libertad, porque si hubo algún triunfo en tanta sangre vertida, entre peleas fraternales, fue precisamente la seguridad en nosotros mismos, en nuestros ideales y en el futuro, en el proyecto federalista que tanto defendieran nuestros abuelos en el siglo XIX, legado único que siempre tendremos que mantener, respaldados por la eterna muralla, símbolo de resistencia, pero sobre todo, alegoría de nuestra propia identidad.

José Enrique Ortiz Lanz. Arquitecto con estudios de restauración de monumentos en Italia. Entre sus publicaciones destacan aquéllas sobre fortificaciones mexicanas y gastronomía campechana. Actualmente es director técnico de los museos del INAH.

Fuerte de San Miguel. INAH. Vista de entrada.

laceres olvidados

cocina mundo maya

José Enrique Ortiz Lanz

El maíz es el protagonista indiscutible de la suculenta mesa campechana. En su origen divino está quizá el secreto de su excelso sabor cuando manos sabias, imaginativas e innovadoras lo convierten en salbute, panucho, mucbilpollo, codzito, papadzul o tantas otras delicias. Ésta es la crónica de un placer milenario.

Existe poca información sobre la comida entre los antiguos habitantes de Campeche: sólo contamos con los datos proporcionados por los cronistas posteriores a la Conquista, algunas tradiciones aún vigentes en el medio rural y con los estudios que poco a poco van haciendo los arqueólogos y antropólogos, conscientes cada vez más de la importancia de la historia de la vida cotidiana. Con estas escasas herramientas podemos tener una pálida idea de los gustos de un pueblo grandioso, capaz de construir maravillas arquitectónicas, como las ciudades de Edzná y Calakmul, o de plasmar en cerámica o piedra refinados diseños y colores. Por fuerza deben haber tenido una sensibilidad gastronómica muy desarrollada. Sin embargo, no debemos por ello caer en un falso juego de imágenes al suponer un tiempo pasado lleno de felicidad en el que todos permanecían eternamente satisfechos; por el contrario, las evidencias mencionadas hablan de la eterna lucha del hombre por la supervivencia, de los antiguos hombres del maíz reproduciendo cíclicamente la máxima creación de los dioses: la incorporación de la planta divina a su propia sustancia.

Sabemos, gracias a los estudios de los mayistas, que la sociedad prehispánica era altamente estratificada. Uno de los campos donde las diferencias de clase debían ser más evidentes, como el vestido o la habitación, era la comida. Por ello, al hablar de una gastronomía maya debemos partir de la idea de que existieron varios tipos de alimentación. Las clases humildes —esclavos, campesinos y artesanos— debieron mantenerse con poca variedad: maíz, algunos vegetales y ocasionalmente animales, éstos cuando era fiesta o la cacería resultaba afortunada. Inmediatamente después del arribo español —según narra fray Diego de Landa—, la mayoría consumía dos comidas: un desayuno temprano basado en un atole, sazonado con chile. En el trabajo, durante el día, se bebía el pozol, ahora llamado pozole, pero muy diferente a su homónimo del centro de México. Por la tarde, ya en la casa, en el suelo o sobre una esterilla o petate, se comía un guisado acompañado por las siempre presentes tortillas. Esta cena se preparaba, cuando había, con carne de venado, aves y pescado o, en su defecto, situación bastante frecuente, sólo con verduras y chile. El propio cronista menciona las continuas hambrunas que se padecían.

Nota aparte merece el chocolate, bebida que se preparaba con el cacao de manera muy distinta a nuestra versión occidentalizada, pues aquélla incluía maíz, a manera de "atole champurrado", y chile, delicadeza reservada, junto con ciertos licores, para fiestas y banquetes. El obispo Landa narra que existían dos tipos de fiestas: una propia de los señores y gente principal, que obligaba a los convidados a realizar después otra celebración similar. Durante el ágape cada invitado recibía un ave asada, tortillas y chocolate, además de una serie de regalos: una pequeña banca para sentarse, una manta para cubrirse y el vaso más hermoso que se pudiera procurar. Curiosamente, la deuda contraída al asistir a un banquete era hereditaria, por lo que los parientes quedaban comprometidos a resarcirla en caso de muerte.

El otro tipo de convite era en ocasión de las bodas o para honrar la memoria de los antepasados. Esta celebración no obligaba a restitución, pero se establecía una especie de acuerdo tácito para corresponder en ocasiones simila-

IZQUIERDA: **Barca de pescadores.** ABAJO: **Circo Teatro Renacimiento, anitgua sala de cine. Centro INAH, Campeche.**

res. Las amistades así procuradas duraban mucho tiempo y ni la distancia impedía la asistencia a estas ceremonias. Pero volviendo al maíz, sustento universal, podemos asumir que, en general, era preparado de tres formas diversas: las tortillas y sus múltiples derivaciones como los "pasteles" —preparaciones con capas sobrepuestas de tortillas cubiertas con una salsa— y los tacos; las bebidas, básicamente pozol y atole; y los tamales, preparación que ha subsistido en toda su variedad y riqueza.

EL PAN DE LA TIERRA

Desde luego, es Diego de Landa el primer cronista que nos habla de las comidas en la Península poco después de la llegada de los españoles. Muchos especialistas están de acuerdo en que para esas fechas probablemente ya se habían producido algunos cambios en la alimentación; por ejemplo, en el periodo Clásico (300-900 d.C.), cuando los mayas peninsulares entraron en contacto con otros grupos del centro de México y de la costa del Golfo. Algunos arqueólogos, como Peter Schmidt, hacen notar la ausencia de comales en excavaciones de sitios de ese periodo; interesante dato que pone en duda el uso de la tortilla y sugiere su probable llegada a la Península en tiempos más recientes, aunque permanece la posibilidad de que sea el comal el importado y que las tortillas fueran cocidas sobre las superficies de algunas vasijas de barro volteadas, explicación un poco rebuscada, pues siendo básica la tortilla, sería muy extraño que no se contara con algún instrumento específico para su elaboración.

De Landa no deja de advertir que en la Península "hacen pan [tortillas] de muchas maneras, bueno y sano, salvo que es malo de comer cuando está frío; y así pasan las indias trabajo en hacerlo dos veces al día".

"Éste era el pan propio y adecuado para comer las viandas que —según Molina— [los antiguos mayas] llamaban *sucuc-uah*. Cuando este pan tenía varios días y quedaba duro y añejo, llamábanlo *chuchul-uah* y era tostado; resultaba más sabroso que el bizcocho. El pan más seco y con moho era también tostado y se nombraba *totoch-uah*. El mezclado con frijol negro, *pich* o *muxub*, y el mezclado con chile y jugo de frijoles, *papak-tsul*; el cocido bajo cenizas, *tsuhbil-uah*, y el de maíz nuevo, *chepe*".

ALIMENTANDO A LOS DIOSES

Quizá una de las aplicaciones que más llama la atención sobre el uso del maíz en la Península son los llamados panes, que más bien son "pasteles" elaborados a partir de capas de tortillas sobrepuestas y separadas con otros ingredientes, generalmente pepita de calabaza o frijoles.

El antiguo uso de estos "panes" se conserva muy arraigado en el medio rural, pues los mayas aún lo ofrendan en los ritos agrícolas. Así, el *kan lahu tas wah*, un pastel ceremonial hecho con grandes tortillas de maíz, se ofrece al final de la estación de secas, justo antes de la llegada de las esperadas lluvias; el llamado *ch'achaak* es parte fundamental del culto milpero para hacer llegar el agua. Una palabra muy parecida, *kanlahun tas wah*, designa a otro pastel hecho con 14 capas de tortillas, separadas por delgadas capas de pepita de calabaza molida y humedecida, frijol y otros elementos vegetales que se cuecen bajo tierra.

Alfonso Villa Rojas, distinguido estudioso del área maya, en los inicios del siglo XX, nos dejó una vívida descripción de las ofrendas realizadas a los dioses antiguos. Los platos eran preparados con gran cuidado, de ser posible dentro de la iglesia, usando de preferencia carne de animales silvestres que, según la antigua tradición maya, eran criados por los guardianes sobrenaturales del bosque; en su elaboración final sólo intervenían hombres.

Para estas comidas sobrenaturales, la carne se cuece en un caldo espeso, *kol*, preparado con masa de maíz, a la

Para el sacrificio. Postal de 1910. Col. Ortiz Lanz.

Para el sacrificio. Campeche. C. & P. Derechos reservados 1910.

que se le añade achiote, pimienta, clavo, orégano, ajo y sal. Este caldo se aprovecha para desmenuzar en él unas tortas de maíz llamadas *nabal-wah*. A la mezcla obtenida se le llama "sopas" y sólo se come en ceremonias paganas. La carne se pone aparte, en jícaras o platos de barro.

Esta comida va siempre acompañada de ciertos panes de forma y calidad especial que se preparan con masa de maíz, *sakan*, y pepita de calabaza molida, *sikil*. Se envuelven en palmas de guano y se cuecen en un horno llamado *pib*, que se abre en la tierra. Según su importancia y modo de hacerlos se dividen en cuatro clases.

Así, el *noh-wah*, o gran pan, se prepara con cuatro pasteles: el primero de 13 tortillas y los demás de nueve, ocho y siete, respectivamente. Entre las capas se pone otra delgada de pepita de calabaza. Finalmente, en la parte superior se marca una cruz y, rodeándola, unas depresiones llamadas "los ojos del pan", o *u-yich-wah*. El *yal-wah*, o pan en divisiones. no tiene un número definido, se prepara con seis capas de tortillas, también con "ojos", pero sin la cruz central. El *tuti-wah*, o *noox-wah*, es el pan que completa o sirve de cuña en la ofrenda. Es pequeño y en número de siete. Se compone de una tortilla enrollada con *sikil* al centro. La última de estas preparaciones, el *nabal-wah*, es de mayor tamaño y preparada con menos cuidado; en él se aprovecha el *sakan* y el *sikil* restante.

Placeres mundanos: las delicias regionales

Quizá algunos lectores, basándose en la descripción anterior, se hayan imaginado el pan de cazón, platillo que prácticamente ha sido la tarjeta de presentación de la cocina campechana. Consiste en una serie de tortillas abiertas en el momento que se inflan sobre el comal, para ser rellenadas con frijol negro colado. Después se prepara una especie de "pastel", como los ya descritos, remojando cada tortilla en una salsa de tomate frita con chile habanero; entre capa y capa se coloca un poco de cazón asado y después frito. Para presentarse en la mesa, se sirve un poco más de salsa sobre el plato, en porciones individuales y con un número de capas que nos habla del apetito del comensal, pero generalmente tres o cuatro; todo se corona con un chile habanero cocido en la salsa.

Aunque la similitud sea meramente formal, el pan de cazón es preparado en el comal mientras que los pasteles rituales son hechos en hornos subterráneos, en *pib*. Estamos, sin duda, ante un platillo de gran antigüedad, viejo heredero de la tradición maya. En ningún otro lugar de la Península se oye hablar de un "pan de carne", o "pan de frijoles", lo que hace a esta joya de la cocina campechana un descendiente único y directo del mundo prehispánico.

La única excepción de la que he tenido noticias es una rara forma de preparación de Hecelchakán, en el corazón del camino real que unía a Campeche con Mérida. Allí, según me platica mi madre, un cocinero redundantemente llamado El Campechano y de nombre Antonio Amigo, en las décadas de 1950 y 1960, confeccionaba un pan de pepita sobre pedido. Para prepararlo, se ponía la tortilla en el comal y cuando se levantaba el ollejo, se untaba de una pasta de *sikil*. Finalmente, el pan, así relleno, se remojaba con ayuda de dos cucharas espumaderas en una salsa de tomate. Se servía directamente uno o en la cantidad que se pidiera. Ésta es, indudablemente, una de las formas más antiguas de preparar los antojitos regionales.

Otro gran protagonista regional es el papadzul, en la forma original *papak'sul*, según el *Diccionario maya*, un pan hecho con frijoles y chile. Así lo ratifica el distinguido historiador Molina Solís, aunque actualmente designa a un plato caracterizado por el relleno de huevos duros y la salsa de pepita de calabaza. Algunos de los más famosos estudiosos de la cocina mexicana han reconocido

Jardín y plaza del mercado. Col. Ortiz Lanz.

en este plato a uno de los mejores del país; pues a su riquísimo y variado sabor se aúna una excelente preparación. Diana Kennedy da su interpretación al traducir su nombre como "comida para los señores" y añade que: "bien hechos tienen un sabor tan fascinante como su aspecto. Las tortillas enrolladas, cubiertas con salsa de color verde pálido, el color rojo vivo que le da la salsa de tomate y las manchas de aceite verde —que sale de la semilla de calabaza— formando facetas brillantes de color y sabor. Los papadzules podrían ocupar un buen lugar en cualquier exhibición gastronómica mundial".

Sobre el nombre de los papadzules se ha discutido bastante, pero no debemos dejar de recordar que la palabra más antigua que se nos reporta es *papak-sul*, en la cual *sul* se refiere a la acción de empapar o remojar, más que a *ts'ul*, extranjero, forastero o incluso español, como han querido ver varios autores. Sobre la primera parte de la palabra existen muchas dudas, pues podría tratarse de *pa'-pa'ah*, acción de quebrar con repetición muchas cosas, probablemente las pepitas de calabaza para hacer la salsa. Una palabra que ayuda a entender este nombre nos viene de otro plato similar, de uso casi exclusivo de Campeche, y ahora prácticamente caído en el olvido: el papanegro. Tras este híbrido nombre se esconde una preparación en la que las tortillas se rellenan de huevo, al igual que en el papadzul, pero se cubren de una salsa muy suave de frijoles negros colados, rematada otra vez con el rojo tomate que destaca sobre el oscuro tono de los frijoles.

Los humildes panuchos y las mil variantes del maíz

Siempre dentro de la esfera de la versátil tortilla debemos recordar al humilde panucho, así llamado como si fuera un pan que merece desprecio, pero que en cambio es el rey de la popularidad de las meriendas campechanas, compañero afortunado del caldo o consomé de pavo. A las tortillas calientes se les levanta una parte del ollejo, se les unta dentro frijoles negros colados, conjunto que es frito en aceite caliente para cubrirlo finalmente con lechuga, carne de pavo —o pollo—, cebollas, tomate y repollo curtido. La variante de la ciudad de Campeche se rellena con pasta de frijol y cazón asado y luego frito, aunque, desde luego, existen muchas más posibilidades, como el panucho de cochinita pibil o el delicioso champotonero de camarón.

Las añejas diferencias entre Campeche y Mérida se ponen de manifiesto una vez más cuando se trata de nombrar a estos antojitos regionales: mientras que en la ciudad de Campeche se les conoce con el hispano nombre de panuchos, en Mérida se llaman salbutes, del maya *salbut'*, usado antiguamente para designar a un pan de maíz con sal y manteca que formaba una tortilla rellena de carne molida y que después era cocida al comal.

Para completar la confusión, los yucatecos prefieren llamar panuchos a lo que los campechanos denominamos más folclóricamente "sincronizados". Éstos consisten en una tortilla tostada y cubierta de repollo o lechuga picados, carne de aves —pollo o pavo, principalmente—, cebollas en escabeche y rebanadas de tomate.

Sobre el significado de tan curioso nombre, José Buenfil Burgos, un guardián de las tradiciones campechanas, nos pone sobre la pista: resulta que, en la década de 1930, el Teatro Toro comenzó a exhibir películas habladas en su amplia sala; el gran trabajo del cácaro consistía, además de cuidar que la película no se saliera de los carretes y que no prendiera en llamas debido al calentamiento, en estar muy atento a la concordancia en tiempos que se debía dar entre las voces y las escenas, mismas que debían concluir más o menos al mismo tiempo si quería evitar

ABAJO: **Ingredientes típicos: axiote, pepita de calabaza, maíz y frijol verde.**

ARRIBA: Especies marinas de la región. ABAJO: Plato polícromo maya.

una enorme rechifla. Entonces las funciones comenzaron a llamarse "sincronizadas" y la palabra era la gran novedad en la ciudad. Después de ir al cine, casi como complemento del espectáculo, se pasaba a los portales de San Martín. A este punto, Luis Felipe "Fillo" Zubieta, otro gran conocedor de las historias locales, añade que fue el señor Manuel Lavadores quien trajo la receta de Yucatán, ayudado por su esposa Elia, quien se ocupaba de poner en las inmediaciones de los portales una mesa cubierta con un mantel de un blanco inmaculado, así como de desmenuzar el pavo asado con "recaudo colorado" que cubriría los nuevos antojitos, que son ni más ni menos los que ahora llamamos sincronizados. El éxito alcanzado por la nueva aportación a la gastronomía local permitió a Lavadores poner un local —ya más en forma— en los portales, al abrigo de las fuertes lluvias. Con el paso del tiempo, el dueño murió y ya por la década de 1950 doña Elia tuvo que venderle el puesto a otro afamado cocinero campechano, El Venado Casanova, quien armado con su anafe y unas cuantas mesas, daba de comer a los hambrientos espectadores que seguían llenando el cine.

Otro gran encargado de restaurar antiguos apetitos fue el señor Francisco Puga, quien desde el kiosco del parque central añadió algunas novedades al panorama de las meriendas campechanas. Por ejemplo, agregó una pequeña tortilla recién salida del comal debajo del sincronizado, que servía de servilleta comestible y facilitaba a sus comensales la limpieza de las blancas "filipinas" y blusas con delicados bordados. Pero, más que esta comodidad, lo que los antiguos campechanos recuerdan más entrañablemente es una salsa para aderezar panuchos y sincronizados; se preparaba con rábano, cebolla y el delicado toque de pequeños pedazos de chicharrón que cubrían la gallina guisada. A mediados del siglo XX, don Pancho, como era mejor conocido, se trasladó a la plaza Juan Carbó, enfrente del entonces mercado, en la calle 8, donde acabó siendo famoso más bien por sus inolvidables helados.

Para completar nuestro recorrido es necesario trasladarnos a otro célebre barrio de la ciudad, a San Román, sede de las fiestas más importantes de la región y donde otro merendero hizo historia. Se trata de la lonchería conocida con el apellido de su dueño, don Luis, "Canaval", rey de los panuchos de esta parte de la población. Durante las festividades de la veneradísima imagen del Cristo Negro, que se guarda en la parroquia situada al otro lado del parque, los fieles completaban sus plegarias con un rosario de panuchos. Algunos campechanos aún evocan los concursos para determinar quién podía comer más de esos antojitos, hasta 16 o 20, dicen algunos, o la imborrable memoria de sus tamales torteados.

Durante décadas, tanto panuchos como sincronizados y salbutes, en Campeche y Mérida, o en cualquier otra población de la Península han sido referencia obligada, y ninguna visita queda completa hasta probarlos. Con más tradición, la plaza de los portales del antiguo barrio de San Francisco de Campeche, el corazón de la población india original, continúa siendo visitado por los hambrientos en busca de un reparador plato de panuchos. El origen de los merenderos en esta zona se debe, sobre todo, a que durante muchos años, los portales que rodeaban la plaza se veían llenos de carreteros, conductores de recuas y otros transportistas que de allí partían para mover las mercancías que llegaban al puerto con destino a toda la península. Seguramente los anafes para preparar comidas rápidas eran un componente fundamental de la vida cotidiana de los eternos viajeros. Don "Fillo" Zubieta nos recuerda que don Celso Cervera fue el primero en poner un puesto de madera bajo la arcada, mismo que, con su nota-

IZQUIERDA: **Vaso maya polícromo.** DERECHA: **Vaso polícromo procedente de Calakmul. Centro INAH, Campeche.**

PÁGINA ANTERIOR: **Vaso maya. Museo Amparo, Puebla. Detalle.**

ble éxito convirtió a San Francisco en punto de visita casi obligado en las noches campechanas. Su hija, Conchita Cervera —cuyo nombre lleva hoy un puesto en San Martín—, a raíz de la muerte de sus padres, vendió el puesto a sus actuales dueños, la familia Medina, que ha sabido mantener una tradición viva y enriquecida.

Pero antes de pasar a otro plato debemos aclarar que en la Península las tostadas son tortillas secas que se doran sobre una parrilla o comal a fuego lento o al horno, volteadas frecuentemente a fin de que tomen color parejo, mientras que el panucho yucateco o los campechanos sincronizados son fritos en aceite bien caliente, hasta que logran su textura crujiente característica.

Más temprano, en las mesas de las cantinas, compañeros prácticamente inseparables de las cervezas, los codzitos están siempre presentes. Hacen honor a su origen maya, del verbo *cots'*, enrollar como petate, pues se trata de tortillas enrolladas, fritas en aceite y cubiertas de salsa de tomate frita y queso, ya sea del blanco de Tabasco o la rica versión con queso "de bola", el holandés *gouda*. El relleno no es indispensable, pero existe siempre la posibilidad de agregarle un picadillo de carne.

Aunque menos usadas, existen varias formas de "gorditas" o tortillas más gruesas, como los pimes, con manteca y pedacitos de grasa frita; los pemoles, con frijoles cocidos, machacados, fritos y por último secados al sol; y las tortas de frijol, con este grano cocido y entero.

Las preparaciones a partir de las tortillas son prácticamente infinitas; basta recordar los tacos con todo su universo de rellenos, las quesadillas, desde las de queso con azúcar, hasta las de los sofisticados picadillos; la tradicional arepa, especie de galleta hecha con harina de maíz y manteca; los *is-wah*, a base de maíz tierno molido, azúcar, sal y manteca; o las tostadas rojas conocidas como *chak-op'*, platos con los que se podría colmar prácticamente otro capítulo de la rica gastronomía campechana, orgullosa heredera de su pasado maya y mestizo.

Líquidos mantenimientos

Desde los primeros tiempos de la Colonia, los informes españoles no dejan de subrayar las bebidas como fuente de energía durante el pesado trabajo en el campo. Así: "del pan [es decir, del maíz] se hace un brebaje que se llama *atol*, y en lengua de esta tierra se llama *za* [*sa'*] que es a manera de poleadas [en España una sopa muy clara] [...] y encima le echan un poco de ají que en esta tierra se llama *yc* [*ik*] y cuando van a sus labranzas llevan en su calabazo de esto lleno y con esto se sustentan todo el día hasta que vuelven a sus casas, y cuando van camino llevan una pella de este maíz cocido, molido, hecho masa y desleído con la mano en uno de estos *luches* [plural españolizado de *luch*, jícara] que siempre llevan consigo en agua y aquello beben y con esto se sustentan tres o cuatro días sin comer otra cosa"(Relación de Dzonot).

En general, las formas de preparar estas bebidas son tres. La primera, la más simple, se llama *zaca* (*saka'*) o *atol* en lengua mexicana, hecha de agua y maíz cocido; cuando el día está avanzado se bebe frío, sin cocer ni calentar, para refrescarse. A veces se le agrega cacao y, según Redfield y Villa Rojas, no era parte de la alimentación cotidiana, sino la forma en la cual, simbólicamente, el maíz se le ofrecía a los dioses y espíritus no cristianos.

En cambio para el pozol —en su versión moderna pozole y en maya *k'eyen*— la masa se prepara como para tortillas, excepto que los granos se lavan a mitad de la cocción y luego se vuelven a poner al fuego, con agua limpia, hasta que quedan tiernos. La masa así lograda se lleva al trabajo en la milpa y se mezcla con agua. Es, además, la despensa para los viajeros y sólo ocasionalmente se toma en la casa.

ABAJO: **Dos patios de influencia mudéjar.** PÁGINA SIGUIENTE, ARRIBA: **Portales de San Martín. Col. Ortiz Lanz.**

ABAJO: El corredor en el segundo piso era el lugar más fresco a la hora de comer. Col. Ortiz Lanz.

A veces, para hacerlo más aromático y con un ligero toque cítrico, se le añade al agua del segundo hervor algunas hojas de naranja agria, costumbre obviamente mestiza.
El atole, *sa'*, se prepara con maíz cocido con cal, como las tortillas, con el que después se hace una masa que se añade al agua caliente y que se deja cocer por cerca de 15 minutos. Finalmente se le añade sal y, en ocasiones, miel o azúcar. Era una bebida muy popular, pero su uso en las ciudades se ha ido perdiendo con la llegada de nuevas bebidas.
Entre los atoles típicos de la Península destaca el tanchucuá (*tan-chukwa'*), el acompañante tradicional de los pibipollos o mucbilpollos, la ofrenda típica de los altares del día de muertos. La masa, preferentemente de maíz nuevo, se deshace en agua y se le agrega chocolate batido con agua caliente; se endulza y se pone a cocer de nuevo con un poco de pimienta de Tabasco y anís, mezcla que se mueve constantemente hasta que toma la consistencia ligeramente espesa que lo caracteriza.
También el atole acedo requiere maíz nuevo de los meses de cosecha. Para prepararlo se deslíe la masa en agua fría, se le añade agua caliente y se deja reposar toda la noche. Al día siguiente, se le quita el agua que quede encima de la masa, que permanece en el fondo. El atole propiamente se prepara vertiendo lentamente la masa desleída y colada en un recipiente con agua hirviendo, después se endulza. Luego se le agrega, poco a poco, el agua donde la masa estuvo remojada, hasta dejarlo acedo al gusto. Una variante permite que después de separar el agua de la noche se ponga a cocer, cuando el atole ya está hecho se le agrega leche, verificando el punto de azúcar y poniéndolo nuevamente al fuego, sin dejarlo hervir.
Las recetas de atoles son innumerables: atole nuevo, de pepita chica, de camote, de piña o de pinol, lo que nos habla de una tradición aún viva. Sin embargo, con la introducción de nuevos cultivos a partir de la Conquista, esta bebida comenzó a modificarse, principalmente con el arroz, grano que permite variantes preferidas para su comercialización en preparaciones empaquetadas, casi todas con sabor a frutas.

Tamales: joyas regionales

Pocos platillos pueden preciarse de su resistencia al cambio, de su eterna presencia en el gusto de los paladares campechanos, como los tamales. Su variedad y adaptabilidad los han convertido en sobrevivientes del gran cambio tecnológico y de las costumbres que ha visto el medio urbano campechano a partir de la segunda mitad del siglo XX. Su consumo es tan antiguo como la civilización mesoamericana; vasos y murales prehispánicos nos los muestran como eternas ofrendas a los dioses y gobernantes. Aunque actualmente usamos una palabra mexicana para designarlos, *tamalli*, su difusión e importancia en el mundo maya indican que, sin lugar a dudas, era una de las formas favoritas de alimentación en el sureste del país.
En Campeche, al igual que en el resto de la Península de Yucatán, se parte de una base común: la masa de tamal, parecida a la de las tortillas pero molida más finamente; a ésta se le agrega sal, manteca y otros ingredientes tales como frijoles cocidos o su caldo, achiote, chile, chaya, tomate, anís o epazote, que contribuyen a la gran riqueza de calidades y cantidades de los tamales, vaporcitos, chachacuahes, holoches o joroches y brazos.
Los tamales, como los vaporcitos, son generalmente de forma aplanada, se diferencian sólo en que los primeros pueden ser mayores. Los holoches son esféricos o cilíndricos; toman su nombre del maya *holo'ch*, palabra que designa un guiso en el que las bolitas de masa, que imitan la forma de los tamales cocidos en hoja de maíz, se cuecen en caldo de frijoles. En las variantes de la ciudad

ABAJO: **Batiendo el chocolate. Col. Ortiz Lanz.**

de Campeche, se rellenan de cazón o de picadillo de carne y se sirven solos, en salsas de frijol o de "chile de color". El caso de los chachacuahes es muy interesante; muchos libros de cocina los reportan rellenos exclusivamente de venado, lo que habla de su antigüedad. Era el nombre que, según algunos autores, recibía el tamal de ofrenda para obsequiar a las ánimas de los difuntos, el equivalente a nuestro pibipollo o al actual mucbilpollo yucateco, al que volveremos más adelante. El historiador Molina Solís llega incluso más lejos, al indicar que *chachak wah* sería el nombre maya antiguo para los tamales en general y fue a partir de la Conquista que se adoptó el aztequismo *tamalli*. Algunos de sus ingredientes se incorporaron con el mestizaje: la pimienta de Castilla, el ajo, la naranja agria y la manteca de cerdo, aunque de ésta última sería muy fácil imaginar una sustitución por la grasa de algunos mamíferos regionales, como el *haleb*, el *wech*, el *kitam*, el manatí o la grasa o enjundia del pavo.

Los tamales "en brazo" suelen ser modificaciones de aquéllos más pequeños. Tal es el caso de otra delicia: el sotobichay. En este tipo de tamal la chaya —*Cnidoscolus aconitifolius*, un arbusto regional con hojas que recuerdan el sabor de las espinacas— se mezcla picada con la masa del tamal, después se forma el brazo (*ts'o tobil chay*), el también llamado "brazo de indio", se rellena de huevo cocido picado y, para hornearse, se cubre de hojas de chaya entera y de plátano; en cambio, los tamalitos de chaya (*ts'otob chay*) se preparan con la masa, sin el vegetal picado y se envuelven sólo en hojas de esta planta. En la mesa se sirven cubiertos de salsa de tomate y adornados para mayor sabor con pepita de calabaza molida. Es un plato de gran originalidad, con la masa blanca y verde contrastando con el rojo de la salsa y de un delicado sabor.

Las formas de cocción han sufrido muchas transformaciones; desde aquella más antigua forma de cocer al vapor, probablemente en ollas de barro, una rejilla de madera y una tapa. El sistema es muy parecido a las actuales vaporeras de aluminio, pues lo importante es que sólo el vapor toque los tamales, ya que el contacto directo con el agua los endurecería, hasta hacerlos perder sus requisitos fundamentales: suavidad y ligereza. Al agua se le puede añadir un poco de sal y algunas ramitas de epazote; el tiempo de cocimiento varía entre hora y media y dos horas para alcanzar la blandura necesaria.

Otro sistema, el cocido bajo tierra, es conocido en la Península como *pib* y en el resto de Mesoamérica y el Caribe como barbacoa. Algún autor se ha atrevido a afirmar que los pibipollos fueron traídos de Lima por los españoles, debido al uso de la hoja de plátano. Esta aseveración es fácil de rebatir al recordar que esta hoja no es la única alternativa para envolver los tamales y, como ya vimos, el guano o palma regional la sustituye en algunas comunidades muy apartadas. Además, el uso del *pib* está documentado desde tiempos muy antiguos.

El *pib* peninsular comienza, según Montes de Oca, con abrir "un agujero no muy hondo, cuadrilongo, con una capacidad suficiente para poner allí todos los mucbilpollos y después cubrir el fondo con piedras del tamaño de naranjas grandes. Las piedras se tapaban con leña que se prendía para que ardiera. Cuando la leña se había convertido en carbón, o sea,

ARRIBA: **Vendedora de papadzules.** ABAJO: **Antiguo kiosko en el jardín del barrio de San Román. Col. Ortiz Lanz.**

ARRIBA: Vendedor de agua de lluvia. ABAJO: José Enrique Ortiz Lanz. Sin título. IZQUIERDA: Patricia Tamés. Sin título.

en brasas que calentaban bien las piedras, ponían allí las latas (como grandes bandejas de hojalata), con tapa, más bien como moldes de pan con las orillas levantadas, tapando los mucbilpollos (para no dañarlos) cubrían las latas con ramas de roble y las tapaban con tierra. Verdaderamente no sé cuánto tiempo se cocinaban, pero creo que eran tres o cuatro horas. Ya cuando iban a comerse, los desenterraban y salían cocinaditos, limpios y con un exquisito sabor como de ahumados, que es lo que los diferencia de los horneados".

Este complicado sistema, que da al pibipollo su especial sabor, se está perdiendo. El horno —primero el de leña que usaban los españoles para la panadería, luego el de gas y el eléctrico— ha ido sustituyendo la tradición, al ser prácticamente incompatible con la vida urbana, donde queda cada vez hay menos espacio para excavar. Sin embargo, el cocimiento en horno causa un endurecimiento de la masa que, de no controlarse, puede convertirse en un fuerte tostado, perdiéndose la consistencia característica: ligeramente tostado en el exterior y blando por dentro.

En cuanto al relleno, el universo de los tamales regionales es tal que fácilmente se podría comer un tamal distinto cada día durante cuatro o cinco meses. Los hay de carne de puerco, en donde destacan los tamalitos de Ticul, los antiguos tamalitos de puerco y pepita, el tradicional pan de merienda o tamal de espelón; los hay de cerdo combinado con aves: el ya mencionado pibipollo o mucbilpollo, los deliciosos tamales colados de gallina, los de boda y los orientales; aquellos que incorporan pescados o reptiles, como el sureño tamal de pejelagarto, los típicamente campechanos de cazón y de pámpano; algunos sobrevivientes de épocas pasadas con carne de caza, como los chachacuahes; y finalmente los que venían a alegrar las mesas de la Cuaresma, aquellos rellenos con productos vegetales, tales como los ya mencionados de chaya, los redundantes de elote, los mestizos de miga de pan, o los simpáticos "mulatitos".

Un platillo llamado tamal, pero que escapa a las características señaladas, es el tamal de platón, para el cual se prepara la masa en una olla a fuego directo, sin hojas que lo cubran. Una vez cocida, se deja cuajar en un platón y se sirve cubierto con un picadillo dulce de carne, huevos cocidos rebanados y una salsa de tomate muy caliente. Su presentación recuerda algunos platillos elaborados con la polenta italiana, de la que, seguramente, es un antecesor.

Finalmente, otra excepción de gran sabor que se niega a entrar en estas clasificaciones, pero que sin duda se trata de otra reliquia de la cocina maya del maíz, es el muy antiguo "chulibul", guisado en el que intervienen los frijoles verdes, que se obtienen con la cosecha, hacia los meses de octubre y noviembre, mismos que se cuecen con epazote y sal. El maíz se integra en forma de tortitas de atole que debe ser nuevo, pero no aquel agrio, y se disuelven en poca agua y se cuelan. Finalmente esta masa se pone al fuego con los frijoles y con un poco de manteca, hasta que toma una consistencia espesa. A la mesa es servido cubierto de pepita de calabaza molida y algo de chile. En este viejo guiso vemos reunidos los cuatro productos básicos de la milpa: maíz, frijoles, calabazas y chiles que celebran las bondades del éxito del trabajo agrícola.

El mundo de la cocina del maíz entre los mayas y sus orgullosos herederos es tan vasto que, después de este breve recorrido por su variada gastronomía, podemos entender la importancia cosmológica y divina de esta planta, síntesis de la lucha del hombre por devolver a su propia esencia lo que tiene de sagrado: su unidad con la naturaleza.

José Enrique Ortiz Lanz (véase pág. 61).

La irámide

Edzná
Calakmul

ájaro

DOMINIQUE DUFÉTEL

A través de sus emblemas —la gran pirámide y el zopilote rey respectivamente— el autor desvela la majestuosidad de dos ciudades mayas; dos urbes erigidas en las tierras húmedas de Campeche que son reflejo del arquetipo mesoamericano del lugar original, del mítico "lugar de tules", *tollan* en náhuatl, *puh* en maya.

medida que los estudios mesoamericanos han avanzado, ha surgido una gran paradoja que es quizá la mayor aportación de toda esa inmensa labor de descubrimientos, exploraciones, desciframientos e interpretaciones: en medio del cúmulo cada vez mayor de información arqueológica, histórica y epigráfica, parecen dibujarse grandes líneas formales de integración del México antiguo como un todo cultural cada vez más compacto y unido por formas y significantes, a pesar de la infinita variedad de soluciones regionales. Así, parecería que uno de los arquetipos de mayor fuerza en el imaginario —tanto del Altiplano central como del área maya— fue el de "el lugar de tules", *tollan* en náhuatl o *puh* en maya. Lugar fundamental que, asociado con la montaña de la serpiente (*Coatépetl*) y el árbol cósmico, centro del universo, *axis mundi*, habría determinado el modelo de la ciudad antigua como reflejo, repetición del mito de origen. En este patrón de innumerables construcciones urbanas, el esquema mínimo es una gran plaza que representa la alberca primordial sembrada de juncos —de donde emergieron el mundo y los dioses— junto a una pirámide símbolo de la montaña sagrada de la serpiente —la tierra por excelencia, la vasija de los sustentos del hombre. Sin embargo, para establecer su capital, algunos pueblos antiguos incluso han ido a buscar el Coatepec, o bien, el lugar de los tules verdaderos —es decir, míticos— con el fin de afianzar en la realidad el esquema fundador. Tal es el caso de Tenochtitlán y tal es el de la ciudad de Edzná, en el actual Campeche.

El cálido valle de Edzná que, al inundarse anualmente con las lluvias, reboza de humedad, es un perfecto "lugar de tules", que recuerda incluso las pantanosas tierras del hule y el cacao de los olmecas, los probables creadores del arquetipo. Drenaje de las tierras húmedas al crear una red de canales siempre caudalosos y ricos en peces que permiten, a su vez, una agricultura intensiva en camellones o chinampas y por los que se deslizan sin dificultad las canoas cargadas con los productos de los hombres; agua que desemboca en una laguna reforzada con diques de contención... esa imagen edénica de Tenochtitlán es absolutamente aplicable a Edzná. Y en medio del espacio anfibio, perfectamente controlado, brota la gran pirámide, la montaña sagrada y sus complementos arquitectónicos. Descubierta fortuitamente apenas en 1906, la gran pirámide de Edzná, con su silueta original, se ha vuelto el emblema de la ciudad. Recuerda o, más bien, prefigura el palacio de Sayil, de estilo Puuc, al norte de la península, por el escalonamiento de pisos con habitaciones adosadas a un macizo central, de tal manera que el techo de cada nivel constituye la terraza del siguiente. El aspecto general de las fachadas es mucho más sobrio que el de Sayil. Aquí sólo se aprecia la regularidad de los sillares de piedra blanca perfectamente cortados y ensamblados y el juego de los vanos negros que disminuyen al tresbolillo en cada piso, para imponer un ritmo ascendente de luces y sombras que no posee el palacio de Sayil, el cual optó por la horizontalidad.

Sin embargo, las columnas de fuste abombado y capitel cuadrado que dividen los dos vanos del cuarto nivel anticipan las columnas de Sayil e introducen una nota distinta. El último piso es un templo macizo de tres crujías, a la manera de los del Petén, que soporta una alta crestería, fino detalle de la arquitectura maya clásica: una peineta clavada en el derroche de una cabellera pétrea que incrementa la sensación de verticalidad, quizá como una añoranza de las fachadas de Tikal o de X'puhil, pero sin reiterar su histeria. Refuerza esa impresión la escalinata monumental que arranca desde la plaza y, sin afectarse

IZQUIERDA: **Edzná. *Ca.* 1930. Fototeca del INAH.** ABAJO: **La gran pirámide, emblema de Edzná.**

por el escalonamiento, se lanza recta y de un solo tirón hasta el templo superior.

De esta manera, en las propias formas de la construcción emblemática —que es a la vez pirámide, palacio y templo, que combina un arte urbano de la exterioridad con una arquitectura de interiores, monte hueco de los sustentos y *axis mundi*— se adivinan no sólo influencias estilísticas sino las preferencias políticas de la ciudad a través de su historia, aliada al sur, al imperio de Tikal en los primeros siglos de su vida, para pasar, durante el periodo Clásico tardío, a la subordinación a Uxmal, al norte de la península.

Calakmul, al suroeste del estado de Campeche, aunque de manera distinta, es igualmente un "lugar de tules", con su aguada contigua y las cercanas zonas de inundación estacional que favorecieron, junto con el clima cálido de la región, la formación de un ecosistema complejo y diversificado, actualmente revalorizado como "reserva de la biósfera". Las dos altas pirámides que descuellan por encima de la selva y que sugirieron a su descubridor Lundell, en 1931, el nombre de Calakmul o "Montes gemelos", son complejos arquitectónicos que hablan por sí solos de la importancia del sitio. Pero, si consideramos la superficie construida de pirámides, templos y palacios, que es de más de 86 hectáreas, entendemos que estamos frente a una magna metrópoli hasta ahora poco conocida. El centenar de estelas que pueblan las plazas como otros tantos árboles cósmicos que, al igual que la persona del príncipe, favorecían el fluir de las fuerzas del cielo y de la tierra, dan fe también de aquella obsesión del hombre poderoso por dejar pruebas de su paso en este mundo. Desgraciadamente, la mayoría de los relieves ahí grabados son ilegibles. Dice el epigrafista británico Simon Martin: "Estudiar las inscripciones de Calakmul es como mirar a través de una densa niebla". Sin embargo, al seguir en todos los relieves, las pinturas y la cerámica mayas el complicado hilo de Ariadna que es la huella del glifo-emblema de Calakmul —la cabeza de serpiente—, el mismo Martin, junto con otros estudiosos, han llegado a la conclusión de que Calakmul fue, desde el principio del periodo Clásico, y sobre todo al final de éste (600 a 900 d.C.), una de aquellas "superpotencias" antiguas a la manera de Tikal o de Palenque, que soñaron con controlar todo el mundo maya. Ahora bien, al conocer los vestigios de Calakmul salta a la vista y asombra, a diferencia de Tikal o Palenque, la pobreza estética del paisaje urbano, algo que no se espera de una metrópoli de tal envergadura. La visión de sus ruinas sólo nos deja la impresión apabullante de la masa de piedra defensiva parecida a la arquitectura militar de Xochicalco, inclusive sin la pirámide de Quetzalcóatl. ¿Habrá sufrido Calakmul en carne propia, en su estertor, las consecuencias de su constante agresividad? ¿Dejó su último enemigo tan sólo el impresionante esqueleto del gigante? Pero, entonces ¿por qué a Tikal no le habrá ocurrido lo mismo?

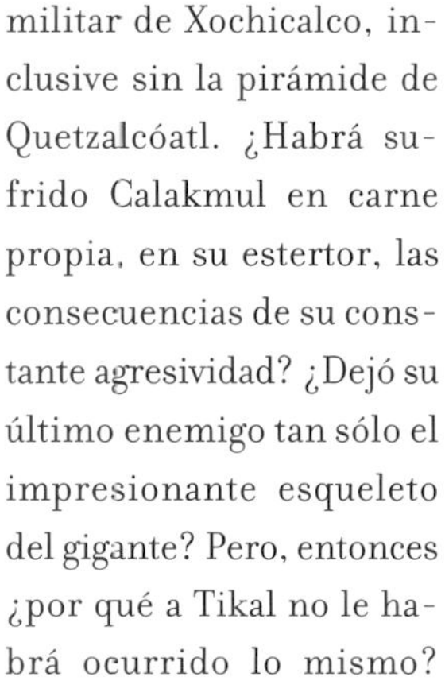

ARRIBA: Vaso con glifos, procedente de Calakmul. Centro INAH, Campeche.

Sylvanus Morley, que conoció el sitio en una época en que el mundo de la política maya clásica era todavía un gran enigma, decía que Calakmul había optado por la cantidad más que por la calidad. Es necesario voltear la mirada hacia el arte lapidario o la cerámica, en particular la polícroma, encontrada en las tumbas reales, para reconocer la impronta de una capital capaz de concentrar los mejores talentos artísticos del momento.

En ese contexto de elegancia oculta destaca un motivo recurrente, el de un pájaro cuyos atributos parecen conferir poder. Se trata de la representación estilizada del zopilote rey. Aparece en una vasija de clara influencia teotihuacana: su cabeza modelada forma la asadera de la tapa y sus garras desproporcionadas son las cuatro patas del recipiente ritual. Garras poderosas, pico largo y ganchudo, ojo ceñudo: ahí resaltan los atributos emblemáticos del más fuerte, hasta el detalle de la carnosidad sobre el pico que identifica al zopilote rey, recuerda la nariz postiza del noble maya. La cabeza del mismo pájaro es el yelmo del personaje modelado en una vasija trípode de arcilla oscura de Calakmul. Sobre un vaso de cerámica monócroma, en cambio, aparece delineado sobre fondo ocre el cuerpo del rapaz con el perfil de un gobernante de Calakmul a manera de cabeza. Como si la simbiosis del animal con el humano produjera divinidad. Por cierto, el glifo de la cabeza del ave es sustituible, en la escritura, por el signo que significa a la vez día y gobernante. De hecho, pareciera que se trata del dios Pájaro Principal o Ave Celestial que surge desde una época temprana relacionado en la iconografía y la escritura con ciertos linajes reales y que reside arriba del árbol cósmico, el eje del mundo, asociándose ya con ciertos atributos ofidios, prefigurando así otra gran alianza emblemática, otro gran arquetipo también para toda la historia de Mesoamérica, la del pájaro y la serpiente.

DOMINIQUE DUFÉTEL. Traductor y escritor. Maestro en letras hispánicas por la Universidad de París; realizó estudios en educación y sociología de América Latina. Fue investigador y guionista de la serie *Ciudades del México antiguo*. En *Artes de México* ha coordinado varios números. Es becario de traducción literaria.

ARRIBA: **Vista parcial de Calakmul.** ABAJO: **Vasija zoomorfa con tapa, procedente de Calakmul. Centro INAH. Campeche.**

BIBLIOGRAFÍA

AH-KINPECH, Revista mensual, órgano del Club Ah-Kin-Pech, Pedro Guerrero Martínez (director), dos tomos, 46 núms., Campeche, s. e., 1937-1940.

ÁLVAREZ SUÁREZ, FRANCISCO, *Anales históricos de Campeche, 1812-1910*, Mérida, s. e., 1912.

BARRERA VÁZQUEZ, ALFREDO, *Diccionario maya*, México, Porrúa, 1991.

CAHUICH, GASPAR y Mayra Aguayo, *La feria de San Román, historia de una mentalidad, 1565-1997*, Campeche, Divulgación de Nuestra Historia, 1998.

CÁRDENAS V., FRANCISCO DE, "Relación historial eclesiástica de la Provincia de Yucatán de la Nueva España en el año de 1639", en *Biblioteca Histórica Mexicana de Obras Inéditas*, núm. 3, México, 1937.

CARRILLO, DELIO (coord.), *Ensayar la travesía*, Campeche, Consejo Estatal para la Defensa, Conservación y Promoción del Patrimonio Histórico de Campeche, A. C., 1998.

CASTILLO NEGRÍN, ARACELLY, *Así se come en Champotón*, Campeche, edición de la autora, 1997.

DE LA CABADA, JUAN, *La guaranducha*, Muralla Editorial, edición facsimilar, 1986.

ENCALADA ARGÁEZ, RICARDO, *Cien anécdotas campechanas*, Campeche, Gobierno del Estado de Campeche y Universidad Autónoma del Sudeste, 1977.

HERNÁNDEZ FAJARDO, JOSÉ, "Historia de las artes menores", en *Enciclopedia yucatanense*, t. IV, México, Edición Oficial del Gobierno de Yucatán, 1977.

KENNEDY, DIANA, *El arte de la cocina mexicana*, México, Diana, 1994.

Landa, Fray Diego de, *Relación de las cosas de Yucatán*, México, Porrúa, 1986.

LÓPEZ DE COGOLLUDO, FRAY DIEGO, *Historia de Yucatán en el siglo XVI*, Mérida, s. e., 1868.

MAY DZIB, SOFÍA et al., *Recetario indígena*, Campeche, PACMYC-Instituto de Cultura, Ayuntamiento de Calkiní y Gobierno del Estado de Campeche, 1996.

MEDINA, ELSIE ENCARNACIÓN, *El alma de Campeche en la leyenda maya*, Campeche, Universidad Autónoma del Sudeste, 1975.

—, *Siete leyendas de Campeche*, Campeche, Universidad Autónoma del Sudeste, Serie Cuadernos Informativos, 1977.

MOLINA, SILVIA (comp.), *Campeche. Punta del ala del país. Poesía, narrativa y teatro, 1450-1990*, México, CNCA, 1991.

—, *Campeche, imagen de eternidad*, México, CNCA. 1996.

— y Gerardo Suter (fotógrafo), *Fundación de la memoria*, México, Gobierno del Estado de Campeche y H. Ayuntamiento de Campeche, 1993.

MONTES DE OCA DE CASTRO, MARÍA LUISA, *Ayer y hoy en la cocina yucateca. Recopilación de antiguas recetas regionales*, Mérida, s/e, 1986.

NARVÁEZ MÁRQUEZ, JOSÉ, *Romancero campechano*, Campeche, Universidad Autónoma del Sudeste, 1984.

ORTIZ LANZ, JOSÉ ENRIQUE, *Arquitectura militar de México*, México, Secretaría de la Defensa Nacional, 1993.

—, *Piedras ante el mar. Las fortificaciones de Campeche*, México, Coordinación Nacional de Descentralización y Gobierno del Estado de Campeche, 1996.

PAVÓN ABREU, RAÚL (comp.), *Leyendas y tradiciones campechanas*, México, H. Ayuntamiento de Campeche, 1991.

PÉREZ MARTÍNEZ, HÉCTOR, *En los caminos de Campeche*, Editorial Baluarte, 1940.

—, *Piraterías en Campeche (siglos XVI, XVII y XVIII)*, México, Porrúa Hermanos, 1937.

—, *Catálogo de documentos para la historia de Yucatán y Campeche (que se hallan en diversos archivos y bibliotecas de México y el extranjero)*, Campeche, Museo Arqueológico, Histórico y Etnográfico de Campeche, 1943.

—, *Ah Nakuk Pech. Historia y crónica de Chac-Xulub-Chen* (prólogo, versión y notas), México, Departamento de Bibliotecas de la SEP, 1936.

PINO CASTILLA, ENRIQUE, *Las esquinas de Campeche*, Universidad Autónoma de Campeche, 1997.

PIÑA CHAN, ROMÁN, *Campeche durante el periodo colonial*, México, SEP, INAH, 1977.

—, *La ciudad donde nací. Arqueología de la memoria*, México, Coordinación Nacional de Descentralización y Gobierno del Estado de Campeche, 1997.

—, Chan Kin Nohol, Alberto Davidoff y Gerardo Suter (fotógrafo), *Arenas del tiempo recuperadas*, México, Gobierno del Estado de Campeche, 1992.

POZOS, ILEANA y Juan Carlos Saucedo, *100 años de lotería campechana*, México, Coordinación Nacional de Descentralización, INBA, UNAM, Lotería Nacional para la Asistencia Pública e Instituto de Cultura de Campeche, 1995.

RUIZ ABREU, CARLOS ENRIQUE, *Para escribir la historia de Campeche. Catálogo de documentos coloniales*, Instituto de Cultura de Campeche, CNCA y Gobierno del Estado de Campeche, 1996.

REDONDO, BRÍGIDO, *Negritud en Campeche*, Congreso del Estado de Campeche, 1994.

VASCONCELOS, JOSÉ, *Ulises Criollo*, México, Editorial Jus, 1964.

VILLA ROJAS, ALFONSO, *Los elegidos de Dios. Etnografía de los mayas de Quintana Roo*, México, Instituto Nacional Indigenista, 1978.

WALDECK, JEAN-FRÉDÉRIC DE, *Voyage pittoresque et archeologique dans le Province de Yucatan*, París, s. e., 1838.

WECKMANN, LUIS, *La herencia medieval de México*, 2 tomos, México, El Colegio de México, 1984.

CAMPECHE

A Bastion of Wonder

ALBERTO RUY SÁNCHEZ LACY

Walled cities have always had something magical about them. They arouse our wonder, then hint at an urban existence in which daily routines were organized along other lines. They tell us of a time when everything was done differently. This other existence which seem so removed from modern lifestyles brings the past within our grasp. Today ramparts have been preserved in many parts of the world as traces of another age. Their historical value serves as social justification for their conservation, just as not long ago their lack of purpose in modern cities warranted their destruction. It is all well and good that the historical argument suffices for some, but ramparts are not simply holdovers from the past. They are a topical and important part of a city's visual appeal, of its beauty. Hopefully this aesthetic argument will increasingly reinforce the historical one. To be sure, the aesthetic dimension of daily living is an important part of a community's quality of life. And there is no magic in a city without beauty, as invaluable as its history may be. It is the unique face of a city that, first and foremost, inspires our wonder. ⌗ The city of Campeche's magic is held in its walls, or rather that is the first thing we notice, as the list of its charms is a long one. The urban scape of its enclosed core has been preserved and restored. This leads us to a second cause for wonder: the environment created within its ramparts seems like an interior setting though it is an exterior one. We realize we are outdoors and yet inside a man-made structure. The sky, the sun and the wind are the roof over the tranquil walled town. An ambivalent environment in the best sense of the word. An atmosphere exuded by the streets, by the buildings whose facades display a wide and nonetheless stylistically congruent range of ornamentation. The houses' explosive combination of colors set against their consistent proportions and visual texture—the unity and diversity of a beautiful city. A significant effort made in recent years to restore its urban core has borne very visible fruits. Campeche's aesthetic recovery sets a precedent whose value extends beyond the national level. ⌗ Outside the ramparts there are still several bastions and a gunpowder arsenal. As part of the recovery project they have also been restored and form an integral part of the city's extraordinary character. They are marvelously impressive constructions—salient features of the face of Campeche. The sea is another peculiar trait here, defined by its utter calmness, its color also hinting at its shallowness. An offering of the open sea, a gracious gesture of nature. ⌗ Campeche's character rests in all this but above all in its people. Though ancient, the city is amazingly vibrant, its inhabitants lending it a unique spirit. Everyday life here is what makes the culture special: it is in how people eat (their cooking is one the country's most flavorful and sophisticated), how they coexist and work, how they keep their homes and furnish them, how they get together and bid farewell, and how they create handicrafts and works of art. An increasingly important part of Campeche's culture is also its dwellers' civic pride, their identification with the community. A feeling that grows as each person contributes to the enhancement and care of Campeche's beauty. Moreover, the city is a threshold to the Mayan world, and there is a growing awareness of the importance of its ruined cities. ⌗ Campeche is Mexico's great surprise. The city astounds its inhabitants as much as it does visitors. Beyond a doubt, it deserves to be on the roster of cities treasured as World Heritage Sites. It is a place worth visiting and, with the same care we would devote to a work of art, worth exploring by those of us who love what is unique and beautiful in this world. ▲ *Translated by Richard Moszka.*

serene warmth

Struggle Against the Eternal

HÉCTOR PÉREZ MARTÍNEZ

Everything in Campeche has an air of immutability: its stones, its people. The clutches of time have not yet been able to wound my old city too deeply. It remains alive like a solemn lady who has seen better days and leans against the past as if it were a plump cushion. It does not matter if her dress is in tatters and if an age-old patina or a faded, timeworn color has begun to show through lending her an air that is not quite of our time. Beside a sea that changes at every instant, Campeche is an expression of eternity, of the unyielding and the indestructible. Entering my state's capital is like reaching a haven where no hand has ever left the mark of modernity. As if going to meet a friend from bygone times who still has the same obsessive habits and goes to the park every night at the stroke of eight while the peals of the cathedral clock are still reverberating around the square, to take up the same slow, sad, eternal conversation and watch the shower of stars in the huge sky.

Coming to Campeche is like coming home. Those paintings of provincial life that at times seem exaggerated find their definitive confirmation in Campeche. It is the provincial city par excellence. The provincial city deprived of a life rumbling beyond its own limits; the self-centered provincial city, bent on its own fate, languid and impassive.

In colonial times, to defend against the attacks of buccaneers and corsairs, the city was surrounded by a stone belt. A rampart cut the city off from the sea, and this fateful isolation haunted it, giving it an introversion complex. The sea air penetrates the walls and crumbles the lime. It is quite a sight how the stones' edges jut out from the ramparts giving them a severe appearance, and how a startling mildew runs down the walls lending the facades a gloomy, forlorn aspect. The bastions, behind whose parapets the Spanish resisted the pirates' attacks, still seem to defend this living ruin. No wonder people are sick with ruins. They know the atmosphere has also paralyzed their necessary drive towards change.

The people of Campeche are sick with loneliness. An airplane crosses its open sky six times a week. A boat cleaves the waters of its sea once every thirty days. This is all the communication Campeche has with the rest of the world. Campeche has never been anxious to make predictions come true, get ahead of itself and play the game of novelty. Everything that reaches my city does so in the fatal form of the irremediable, of something that has already happened elsewhere. And this intimate drama makes its isolation even more pathetic.

Life in Campeche feeds off the hills and the sea. First come the corn harvests: Indians toiling long hours under the hostile sun. Each kernel of corn wrenched from the stone implies an agonizing wait, just as agonizing as the fisherman's work when he lies in wait upon liquid meadows. [...]

Campeche remains impassive, eternal. We must do away with this expression of eternity; life changes and its movements must be followed, tying it to the fate of the many, rejoicing in the good fortune that befalls others rather than our own selves.

Thus our drama of loneliness would be mitigated, feel less wrenching and become more of a shared experience. Let us make Campeche a haven, a home, but an open one. We will scale the walls and expand our world. Let us forget about legends and not wax so poetic about our own existence. Life is short and hard.

And I think my city, my people, though long-suffering, would be better echoed by a smile: tomorrow, the next day... [Excerpt from *En los caminos de Campeche*, 1940.] ▲ *Translated by Jen Hofer.*

inner warmth

La Campechanía

SILVIA MOLINA

It is not easy to express my relationship to Campeche. It is the past I never had, because although my family is from Campeche, I never actually lived there. I made it mine, however, when I began to learn the history and enjoy the people of my state, but above all, it took shape for me when I managed to capture some of the city's secrets.

If you are attracted to someone you want to get to know him or her. You will be in love as long as you can continue discovering the person. Each secret you sense in the other is another motive for desire. The same happens with cities: the more one apprehends their intimate secrets or uncovers their mysteries, the more one loves them. Campeche has many aspects that entice me: its people, its architecture, archaeological sites, the geography, the sea, its food, folklore and crafts.

My saying that "Campeche is lovely" does not give anyone a clear picture of the city's beauty. However, if I take a friend there and explain, "Justo Sierra, the Teacher of America, was born in that colonial house you see over there. Look at the door: it is the original one from when the house was built." The house will remain more firmly fixed in my friend's memory, and the door will not just be aesthetically pleasing, but nothing less than the door to Justo Sierra's house. My friend will then be able to imagine someone crossing that threshold as if it were the most normal thing in the world. Does that not alter the way someone looks at it? After the visit, my friend would say things like, "where I went they sell the best honey candies, the Land Gate is like nothing you've ever seen, I

LEFT: **Detail of a Moorish archway in the Carvajal Mansion.**

went to the king's lieutenants' house—or—I was where the first mass was given in what would later be our country."

This walled city is unique in Mexico. I often wander around it during the day, sticking my nose into every house and shop for the simple pleasure of discovering archways, walls, antique furniture. and at night I walk around just enjoying its perfect geometry, illuminated by the sconces on the houses. As there are no lampposts to disturb the view, standing on a corner you can see the cobbled streets from one end to the other, the row of houses where sailors and shopkeepers lived, and which some families are lucky enough to inhabit today.

The mansions within city walls housed businesses and therefore do not have gardens or trees like in the outlying neighborhoods, but they are impressive for their courtyards and the number of rooms they hide within as they are sometimes two or three stories tall and have several storerooms where people kept campeachy wood or the merchandise arriving on boats. Houses were built that way within the fortified city where the wealthy lived because space was so limited. They say that when the city came under attack by buccaneers, the women would hide in the wells—there was a whole system of passages under the city (in particular one that went from the cathedral to the hills). Also because of pirate raids it became customary in Campeche for men to go to the market so women would not be exposed to danger. Thus it is the men of my homeland who traditionally know when a fruit is ripe, if a fish is fresh, if a vegetable can keep for two or three days.

A building in the walled city becomes something more than just another pretty house when we find out it was the king's lieutenant's residence or sheltered the Empress Carlota for a night.

I usually show friends I take to Campeche the building where the Supreme Court Archives are kept. There they can admire a long row of interconnected rooms with checkered or flowered marble floors, a central courtyard, Moorish arches, astounding woodwork on doorframes, and lovely wrought-iron window grates. Visitors of buildings like this one or like that of the House of Crafts (Casa de las Artesanías) will be able to imagine how Campeche's citizens once lived and thus personally experience a part of the city's beautiful history.

There were also poorer districts, toward the San Román and Santa Ana neighborhoods, where servants and families of scant resources lived. These houses are still beautiful, but of course smaller.

Campeche takes you by surprise if you have never visited it before: besides the obvious attraction of its ramparts and colonial charm, the city itself is surprisingly well-preserved. It does not show its age, or perhaps time has simply lent it an air of distinction.

Two days are enough to reconnoiter the city, but to truly appreciate it a month is too short. However, even just a quick taste will leave anyone captured by its spell and wanting to return again and again until it seems familiar. I have often craftily invited someone to spend the weekend and they have yet to stop thanking me for it.

To only mention food, for instance. in two days you can only enjoy six meals, in a state where the pompano fish alone can be cooked in over a hundred different ways. The local cuisine is renowned for being one of Mexico's richest and most savory because of the bounty of local harvests from the ocean, rivers, mountains and forest. The variety of dishes would tempt any gourmet: *moro* crab claws, shrimp cocktail, *esmedregal* fish stew, rice with crab, pompano in *pochuc*, deer meat in *pipián* sauce, wild turkey *kol*, *cochinita pibil*... Not to mention all the snack foods like *panuchos* or *pan de cazón*, sweets like pastes made from different varieties of sapodilla—the list is endless. But I always take my friends on a gastronomical tour. In Campeche no matter how much or how little you spend you are sure to have a wonderful meal, whether it is in the market, at La Parroquia or in one of the downtown restaurants. Something else you cannot afford to miss is dinner at the Cenaduría de Los Portales in the Barrio de San Francisco, and do not forget to cross the street for coconut, mamey or guanabana ice cream from Don Efraín's cart. And any tour of the city's finest restaurants should not skip the following: Barbillas, Ceiba, La Almena, Miramar, Marganzo Regional, La Uva, Morga and, of course, La Pigua.

My homeland may play host to all these marvels, but the main attraction still remains its people. The moment you set foot there, you enter a land ruled by trust, safety, courtesy and good spirits—in a word, *campechanía*.

In Campeche people never hurry, neither are they prone to stress or bad moods, they never say, "We should get together sometime. Call me next week." They arrange to meet you in a café, at the ice cream parlor, in the plaza, on the Malecón, or you run into them on Calle 10 or in the Café Poquito, at the post office or the bank, and they always have time to talk. They will walk you partway to your destination, or you might stray and go have a coffee together instead. Their characteristic good humor, joking nature and knack for sprinkling the conversation with sayings and amusing anecdotes means you can talk with a Campechano for hours on end and never feel bored.

The city got its name because Francisco de Montejo the Younger founded the Spanish township next to an indigenous community named Ah-Kin-Pech, in the Mayan province of Campech. The Spanish settlement underwent several name changes, such as San Lázaro, Salamanca de Campeche and San Francisco de Campeche, finally returning to the name with which the Spanish—demonstrating their usual bad ear for indigenous languages—had originally baptized the Mayan site, a name it has kept to this day.

The dictionary tells us the adjective *campechano* means "forthright, open to anything, always ready for a joke or a good time," adding that it is used to describe someone with a "warm, gregarious, natural manner." "Giving," it goes on to say, "affable, unpretentious, unconcerned with ceremony or formalities." Believe me, that is how my people really are.

Imagine leaving behind the fast-paced and complicated life of a place like Mexico City, full of traffic, of buildings looming over you, where the air is thick with smog that burns your throat, makes your eyes water and stuffs up your nose, to arrive in a city that is lovely, quiet and cheerful, and if that were not enough, that has a cobalt-blue sky and crimson sunsets. The city welcomes you with open arms because its inhabitants are happy to share what they have, no matter how much or how little that is.

One could also say that *campechano* is synonymous with blending, because the people of Campeche mix at dinners or parties with little regard for social status. At my grandmother's house, for instance, if the water vendor happened to arrive at dinner time, he was invited to eat with us. If he accepted, he was not rudely shunted off into the kitchen to eat: he would sit at the table my grandmother headed with poise and equanimity. He was welcomed with a *campechanía*—kindness, generosity—not often seen elsewhere in the country. Business could always wait until after the meal ended, when he once again took on his role as merchant, and my grandmother, as client.

My grandmother's "nannies" had their own rooms off the back courtyard. They prepared the meals and washed the clothes but in daily life they were like aunts. At the feast of San Román, they would sport the new dresses, shawls, shoes and gold and coral jewelry that my grandmother had given them, and they would sit at the table with her and play *lotería*—a favorite local pastime—or have a snack or ice cream. They never had any real squabbles, arguments or misunderstandings.

At town fiestas and soirées, people instinctively mixed. There are still many places where blue- and white-collar workers rub shoulders. Looking no further than the Cenaduría de Los Portales, you might catch the state governor dining alongside an *ejido* (common land) official dining after having met to discuss some matter, and then see a grocer or a post office worker at the adjoining table, or some wealthy young ladies having a bite to eat before going out to a club. This is the reason why mixed drinks are frequently called *campechanas*, and why a cocktail of several kinds of seafood goes by the same name. So you see, campechano also designates something blended or tossed together, something that is combined and yet maintains a certain balance, or something that is done spontaneously.

I'll wager a bet: anyone going to Campeche for the first time will surely return. *Translated by Wendy Patterson.*

everyday warmth

A Day in the Life of Campeche

HERNÁN LARA ZAVALA

I get up very early and open the curtains. The placid bay is spread before me. In Campeche, not even the ocean moves. It is a unique city that, within its walls, has been held back by time and has managed to retain its ancient and *criollo* nature; in front of it lies a beautiful steely green sea, as smooth as a plate. All I can see is a small dugout with one or two fishermen and a few pelicans suspended in the air. I like staying on the fourth floor of the Hotel Baluartes because there I feel like I am in a watchtower, where I can spend countless mornings admiring the peaceful and silent bay. "To arms, brave Campechanos!" Thus Justo Sierra O'Reilly began his tale *Los filibusteros*, a love story between the fearsome pirate Diego the Mulatto and the sweet and conventional Conchita, a tale in the purest romantic vein, something the author had learned from his readings of none other than Victor Hugo. How easy it was for those gruff men, pirates and buccaneers accustomed to stormy seas, to disembark in these tranquil shallow waters, states Pérez Martínez eloquently in his *Piraterías en Campeche*.

I bathe quickly and leave without having breakfast, heading toward the market that now lies outside the wall, but which used to be next to the Malecón along the waterfront. Legend has it that in Campeche it became customary for the men to go to the market so their wives would not be kidnapped during the pirate forays that were as frequent as they were unexpected. It is barely seven in the morning. The intensity of the light when I leave the hotel is blinding. There are few people in the street, and the heat can already be felt. I walk quickly, crossing the Puerta de Mar, the gate facing the sea, and straight down Calle 50 as far as Calle 12. There I turn left and take Calle 55 toward the Pedro Sáinz de Baranda Market. As I walk, I catch glimpses of the entryways of houses with their doors and windows always open, their cool black and white mosaic floors, their woven rattan rocking chairs set near the entrance so the "fresh" can enter. I remember on one occasion, my wife Aída and I were caught by a midday rainstorm. For shelter, we stopped under the awning of one of those wide-open houses. Someone called out to us. Thinking we were being a bother, we quickly left. The rain started coming down harder and we were forced to seek refuge again, this time in the doorway of a house that had been converted into offices. A woman approached and, without so much as introductions, asked us to come in. She told us to have a seat, turned on the fan and even offered us a soft drink. Later we came to the conclusion that the first time we had stopped, the person who called out had really only wanted to tell us to come in and "keep ourselves" from the rain. That is what Campechanos are like.

I reach the market and immediately head to where the spices are sold. The stall consists of a small booth, and its sole attendant is a man surrounded by open jars. He is filling the orders customers shout up to him—ground pepper, annatto, bay leaves, cloves, squash seeds, cumin, condiments for *relleno negro* or *relleno blanco*—which he deftly transfers from bottle to bottle using a small spoon, like an old alchemist. When he finishes with one customer, he places all their little packages in a bag and moves on to the next. My turn comes up and I buy a kilogram of oregano, which, according to experts, is what deer in the area eat, hence the unique and delicious flavor of their meat. I also buy annatto for *cochinita pibil* and ground squash seed paste for *papadzules*. I go off in the direction of the fruit stands to buy sapodillas (which are lighter in color and larger than the ones that reach the capital) given that delicious cherimoyas are unfortunately out of season. As they are very fragile I ask for them to be packed in a box. From there, I go buy a liter of *dzidzilché* flower honey and as I leave, I buy a kilo of *habanero* chilies from one of the *mestizas* displaying her goods in little piles on the floor. Now I find myself in a dilemma: should I have breakfast right there in the market—some *cochinita* tacos and a glass of cool rice water at the Güera's stall—or return to the hotel? I opt for the second and walk back with my bags.

I leave my things in my room which is immediately flooded with tropical smells, and go down to the El Bucanero restaurant where, besides the hotel guests, various *tertulias* or informal discussion groups have already gathered. Day after day, they meet there to eat breakfast and resolve the world's problems. I am warmly greeted by Doctor Manolo Gantús and his group; I only regret that El Campechano no longer figures among them. He always used to say that if some day they did not see him there at nine on the dot, they should start writing his obituary. And that is how it was. One fine day, he did not show up. As simple as that. Their beloved El Campechano, better known as "El Campe," whose nickname described his bonhomie well,

had been the one who could speak for them all, being the most *campechano*—meaning good-humored, generous—among Campechanos. No one has forgotten his celebrated café Los Murmullos, where he would buy breakfast for his Huache friends who came to the city. "What would you like?" he would ask. "Good bread, tamales, *chicharrón*, orange juice?" And as soon as they replied he would turn to his nephew and say, "You heard what the gentlemen want. Go on and bring it back here, and hurry up, because I don't want it getting cold." He never had anything prepared. Now I sit down to breakfast at the Baluartes and order *huevos motuleños*, fried eggs on tortillas with beans, peas, ham and salsa—the hotel's specialty. As soon as I am done, I say goodbye to my friends and go out, heading to the cathedral where I visit my friend Ney Canto, in charge of ordering the parish archive, who shows me some documents about my ancestor Benigno Lara and the pacifist Indians of the south. I leave Ney arranging her documents and go pay a visit to Rafael Vega at the General State Archive. We chat for a while and then walk over to the former church of San José, where in another time, Joaquín Clausell's paintings were on display. It is tragic that they can no longer be housed there since, as Víctor Sandoval explained to me, the church lacks the adequate conditions for their conservation. It is almost one, so I ask Rafael to join me for a beer. We walk over to Calle 53 and go into a place with a sign above the door that reads "Bar Paco." Popularly known as El Ojoepulpo (the octopus eye) among the locals, this cantina is one of the ugliest I have ever seen. And yet it has a bustling atmosphere thanks to the young poets and fiction writers who have set up their general headquarters there—writers such as Enrique Pino Castilla, Carlos Badillo, Alejandro MacGregor, Eutimio Soza and Sergio Witz. Between barroom snacks, they start off sipping beer and end up drinking hard liquor, under the consenting gaze of owner Don Beto, always at the beck and call of his patrons.

We leave El Ojoepulpo and I bid farewell to Rafael. Now I join Alejandro MacGregor and his wife Rubí, and I mention to them that I would like to meet the city's poet—Humberto Herrera Baqueiro. We are heading downtown to look for him when Rubí suddenly says to

ON THESE PAGES: **A nighttime game of *lotería*.**

me, "There he is." I see an older man attempting to cross the street. He cautiously approaches the sidewalk, takes three steps onto it and, hand outstretched, manages to touch the wall. I see how he gropes along the stone, recognizing it, making sure he is where he is supposed to be: "I am on the threshold of an old door / at the mercy of the shadow / that comes alive in the dead brick."

Then he leans against the wall, waiting. We approach him. Rubí calls out his name and he turns toward us, surprised. She introduces us and he greets me saying "Please excuse me, I am blind."

A bit before three in the afternoon, joined by Pino and MacGregor, we eat at La Pigua on the Malecón. We order some *moro* crab claws and I eat the most traditional of Campeche's dishes: *pan de cazón* topped with *habanero* chilies. Leaving, we part and I walk back to the hotel alone. Despite the white-hot sun, I enjoy walking through Campeche, especially along Calles 10 and 12. It is siesta-time, when the heat of the day reaches its peak, the air is at its most stifling and the city is completely deserted.

I cross the plaza that was once covered with marble from Carrara, which they say Governor Ortiz Ávila removed to his house. In many cases, Campeche's marble came from the Italian ships that brought it as ballast when they came to buy campeachy wood. When I pass by the Hotel Campeche, a blue two-story building located at the corner of Calles 8 and 57, very close to the Sea Gate, I remember that the jurisconsult and novelist Justo Sierra O'Reilly once lived there for several years, and that his son Justo Sierra Méndez was born there during the most intense years of the Caste War. The fact is that Campeche has always been a city of poets and lawyers. I recall Vasconcelos saying that while in the north of Mexico everyone aspired to wealth, the ambition of all the students at the Instituto Campechano was to become great poets. It was there, in that blue house, during the civil revolution of August 1857, that Sierra O'Reilly was attacked by a group of political rivals who burned his files and sacked his library. Poor Justo Sierra—how he must have mourned the loss of his books and archives, not to mention his writings!

I reach the hotel and lie down for a nap. I awaken a little before dusk and gaze at the sea. Many, many times, I have eagerly watched and waited for the famous green flash at sunset. And I do the same today. I look at the sun descend over the water, and focus all my attention on it to see if I will be lucky. But all in vain. I have never seen it. So I console myself with the words of the city's poet who writes, "And the evening is stained / with the green flash that dwindles, / buried in the heart of the burning star...."

I take another bath. It is already nighttime. Pino Castilla picks me up to go for dinner in the Barrio de San Francisco. I get in the car and we drive to the beautiful plaza where El Campechano's father had his tailor's shop. We sit down in the shelter of the arcade and order *panuchos* and *sincronizados* as we admire the plaza's lovely crenellated tower. On the way back, we see a family outside their home, making the most of the cooling evening air, playing *lotería*, the local version of bingo with pictures on the cards, and I think I hear them singing: "one hammer, two pigeons, three pineapples..." *Translated by Michelle Suderman.*

ABOVE: **The San Ramón Malecón. National Institute of Anthropology and History (INAH) Photography Library.**

WARMTH OF THE AGES

A Bit of History

ROMÁN PIÑA CHAN

Certain people in Campeche have always lived by the ocean; they go to the beach to enjoy the fresh sea breeze, and gaze at the sunsets or stroll along the Malecón that follows the coastline from San Román to San Francisco. These same people are also very much aware of their homeland's history.

During the last days of Mayan civilization, this strip of beach was the site of tiny fishing villages that belonged to the province of Ah-Kin-Pech or the "Priest of the Sun named Wood Tick." Its major population center was in the area that would later be named San Francisco Campechuelo. But on March 22, 1517—the day of Saint Lazarus—the sails of Francisco Hernández Córdoba's galleons appeared off the shore of the indigenous community, and the sailors disembarked to celebrate mass and refill the ship's water supply at "El Pocito" (The Little Well). The events were narrated by Fray Bartolomé de Las Casas: "Through a veil of mist, the luminous coastline was glimpsed, and as they approached they began to make out the hamlet: some three thousand houses and rich, luxuriant vegetation. Thus it looked from the sea, but as they approached, they saw a lime and stone temple with a square tower of extremely white stonework, with steps and figures of serpents and other creatures on the wall. At the back of the altar there was an idol with two large, blood-splattered lions and below that, a forty-foot long serpent devouring a ferocious lion. It was all done in very finely carved stone."

In 1531, Captain General Francisco de Montejo, together with Ensign Gonzalo Nieto and a handful of Spaniards, founded the town of Salamanca de Campeche, in fact a military encampment. But as Diego López de Cogolludo recounts, "seeing that the Spaniards remaining in Campeche numbered no more than forty on foot and ten on horseback, the Indians gathered together a great multitude and attacked our men's camp, placing them in very grave danger."

The famous Battle of San Bernabé ensued, pitting the conquistadors against the Maya of the provinces of Ah-Canul and Ah-Kin-Pech. Reporting on the event, Pedro Álvarez wrote, "Having secured their position, the Indians native to the province of Acanul and all the other nearby provinces waged war on the settlements of Campeche [...] and it being the day of Saint Bernabé, and in memory of the Christians who had faced such danger and achieved such a great victory, they vowed that each year on that day they would display their standard in a general procession..."

However, around 1535 the colonists did not find themselves in a very promising situation, as López de Cogolludo describes it. "The Spaniards who were in Campeche endured great toil and food shortages, so that nearly all fell ill, and their captain, Gonzalo Nieto, was not able to care for them. [...] Only five soldiers and the captain survived [so the settlement] had to be abandoned completely, though [the survivors] resolved to later resume their conquest with even greater zeal, Captain Nieto being at that time mayor of Campeche."

THE BIRTH OF THE CITY

Five years later, on October 4, 1540, Francisco de Montejo the Younger, son of the captain general, founded the Villa y Puerto de San Francisco de Campeche about a kilometer from the Mayan settlement known as San Francisco Campechuelo. Montejo distributed plots of land to his companions, designated a space for the plaza and pointed out where key buildings were to be erected.

Campeche is laid out in a chessboard-like pattern. One of the grid's squares near the ocean is taken up by the plaza which in turn is surrounded by the buildings that established the conquerors' authority: the parish church or cathedral, the town hall, the customhouse, the dockyard and the colonists' homes.

Though the grid and orthogonal layout are urban features that may have been introduced by the Spaniards, the concept of the plaza as the city's hub is, as Miguel Rojas Mix states, "the most characteristic element of colonial cities in America, and the importance and historical typicalness it attained here made it the model for all Spanish cities built after 1573."

Thus, in the plan Nicolás Cardona created toward the beginning of the seventeenth century, we see (though rather schematically) the regular layout of several streets, with neat rows of houses, a religious building near the beach (perhaps the church of Nuestra Señora de la Concepción) and a large open area (possibly the plaza) with a single row of houses on the southern side. To the extreme northeast there is another church with an adjoining house (maybe San Juan de Dios and the hospital). About twelve blocks lie between the parish church and hospital, occupied by houses and vacant parcels of land. The plan also shows the San Benito Fortress alongside the beach represented as a large fortified tower crowned by merlons, as well as some boats in front of the fish market. San Román and San Francisco do not appear.

■ Days of Piracy

The seventeenth century was an age marked by the raids and adventures of pirates and corsairs. François Leclerc or Peg Leg, Diego the Mulatto and Cornelius Holz attacked Campeche in 1633; Jacob Jackson in 1644; Henry Morgan in 1661; Myngs and Morgan, Mansvelt and Bartolomé Portugués in 1663; Rock Brasiliano or Brasileño and L'Olonés in 1665, with Brasiliano returning in 1670; Laurent Graff, known as Lorencillo, in 1672; Lewis Scott in 1678; Graff again in 1685, and Dempster in 1688. During the same century, in 1611 to be precise, San Benito Castle was built to defend against these and other raiders, while construction of the walled compound began in 1686.

In 1704 Campeche's wall was completed, and it successfully fended off an attack by Barbillas in 1708. The people of Campeche became expert seamen: captains, boatswains, sailing masters, sailmakers, carpenters and crew members. Their shipbuilding skills were demonstrated to the world by La Guadalupe, El Blandón, El Victorioso and many other vessels of large draft that set sail from its shipyards. The city was thriving, more buildings were erected and in 1777 the king of Spain bestowed it the title of Ciudad de San Francisco de Campeche, officially making it a city.

In 1685, the town withstood the most ruthless pirate attack yet, led by Lorencillo and Agramont. The townspeople are known to have weathered the assault from a series of trenches dug around the main square. Other structures mentioned in the annals of the raid are the treasury building with its clock tower, the Royal Tribunal, San Carlos Castle, the jail, the homes of Melchora Maldonado and Ana Valdés. Many women and children sought refuge in the parish church, which was under construction at the time. According to Pérez Martínez, they were then able to escape through a passage that led from the presbytery all the way to La Eminencia Hill.

■ Independent Campeche

Once the fight for independence ended in 1821, the city of Campeche declared its allegiance to Mexico thus breaking the ties that had bound it to its former ruler across the sea. Years later, in 1857, it took a stand against the government of Yucatán, of which it was a dependency. The insurrection, led by Pablo García, achieved Campeche's statehood in 1858, ratified by President Benito Juárez in 1863.

■ The Plaza

During colonial times, the Plaza Mayor or Plaza de Armas—thus named for its function as a parade ground—looked like a fortified military camp, the stamp of every new city founded in America. It was designed to be spacious because, as Luis Weckmann states, it had the political function of being the site for military displays and exercises that contributed to enforcing order among the indigenous population. Festivities and tournaments in the spirit of the age were also held there. The plaza was the focal point of the townspeople's activities, the city's geographical center and the seat of political and religious authority.

The plaza's modest origins actually go back to 1531 when Gonzalo Nieto and his soldiers swore to parade the pennon there every year on the day of Saint Bernabé. The procession involved the participation of the captain general, the town council, royal officials, members of the nobility mounted on horseback, and key citizens.

The plaza also hosted the annual presentation of arms by the companies of soldiers and *encomenderos*. Bearing lances or carbines, the squadron of cavalry garrisoned in the city would skirmish and perform military exercises at the event, of which López de Cogolludo commented, "It is a day not to be missed as officials and soldiers turn out vaunting the most handsome and elegant aspect possible."

But the pulse of everyday life was also strong in that same plaza, where one could observe the waterman with his wooden keg on a cart drawn by a patient mule; the coal peddler clad in cotton pants rolled above the knee, a heavy sack thrown over his shoulder or on the back of a donkey; and of course the muleteers and horsemen, and drivers perched atop gigs and carriages. One could also see women with mantillas and prayer books crossing the plaza on their way to church; punctual customhouse and town-hall employees hurrying to work; merchants going to their shops; street vendors offering their wares en route to the market.

As in other cities, Campeche's plaza contained a well, and a pillory made of stone or some other material, at the foot of which prisoners were cruelly punished. This was destroyed in 1813, an outcome of the shifting politics of the times. At the same time, the square's name was changed to Plaza de la Constitución. In 1829, the commemorative tablet bearing that name was replaced with one inscribed "Plaza de la Independencia. 1821 AD." Also, in 1813, the rings in the lower gallery of the city-hall chapter house, used for restraining prisoners, were removed.

As of 1821, incidentally, city hall was no longer designated as the Palacio de Ayuntamiento but as the Palacio Municipal. Street lighting was inaugurated the following year with the installation of thirty-seven sconces—likely holding candles made from the famous Campeche wax—that were lit at prayer-time, around sunset.

Francisco Álvarez tells us that around 1858 the area of the plaza had become covered with wild plants and thistles. At one point, Pedro Baranda, the general commander, presented State Governor Pablo García with the design for a garden. García examined the proposal and along with master builder Solís Espinosa proceeded to the plaza's center. They sent for two workers to come and remove the plants, and then, with twine and lime, mark out the paths, flower beds and benches of the future garden.

Work began on the footpaths the next day, but the project had to be suspended due to political upheaval. The garden was not completed until 1870. The iron railings were cast at the La Aurora blacksmith's shop in San Román. The gates were made in New York based on a design by Manuel F. Rojas. Ornamental flowers and trees were planted, paving stones were laid, and there were benches covered in brilliantly colored ceramic tiles.

ABOVE: **Procession of the artisans' guild. Postcard from 1912. Private collection.**

In 1865, Empress Carlota Amalia strolled through the garden and with great pomp entered the cathedral to hear mass. The following year, famous traveler Désiré de Charnay passed through the city in search of antiques.

Around 1880, Pedro F. Rivas described the plaza as follows: "It was an area enclosed by artistic grillwork. It had three streets or circuits. The shortest one ran around the central arbor where there was a tasteful fountain; the middle one had beds of roses, carnations and other low flowering plants bordering its inner perimeter and more plant beds along its outer fringe; the final circuit, the longest one, passed between the flower beds and the cast-iron railing that bore gates supported by rubblework pillars at the corners and in the center. The first route was frequented by children and the elderly whereas young people preferred the second one for their days off (two a week). They promenaded around it in two directions: the young ladies on the outer edge and the young men on the inside. The third walkway was used by the general public on their days of rest. The hedge was planted with lime trees and lilies whose aroma scented the air. The last circuit also had benches with Moorish tiles, and it was softly lit by petroleum lamps, part of the municipal lighting system. On these benches, politicians and intellectuals would gather to exchange ideas."

By 1897, the plaza was encompassed by the cathedral, the maritime customhouse, city hall, the state legislature, the station house, the market and all the residences still standing today. Waterworks and pipes were installed around the whole circumference of the plaza that year to facilitate the irrigation of plants along the promenade and on side streets.

The poet Luis G. Urbina visited Campeche in 1906 and wrote his impressions of the garden: "The garden fills [...] almost the entire plaza. Fences and stone benches border the beds with their profusion of bushes, stiff foliage and the lithe branches of tropical plants [...] Green is the predominant color [...] and emerging from between the greens, as if through a head of hair, are the vivid blushing scarlet stars of the hibiscus [...] The garden's straight and curving paths are paved with a checkerboard of red and bluish squares, and in the central rotunda, finished in black and white marble, stand the carved basins of a fountain, one atop the other. [...] On their painted iron posts, the lanterns issue streams of gold. [At midday] no pedestrians walk through the plaza or beneath the archways on either side of the square."

Our plaza—Plaza de Armas, Plaza Mayor, Plaza de la Constitución, Plaza de la Independencia and Plaza Principal—came from humble origins but, as José Vasconcelos said, with the idea of "a baroque festival of arcades surrounding it, bell towers evoking heavenly joy over colonnades with niches holding statues, and luminous stained glass windows."

The plaza was the focus of Campeche's civic life because plots of land around it were parceled out to the conquistadors, and the town and city gradually grew into adulthood. Because, whether honoring war heroes or bidding farewell to the deceased, at Christmas and at Easter, for inflamed rallies and ebullient celebrations, protests or Sunday evening serenades, the plaza always embodied the essence of Campeche. It is a bond of unity like the cordon of Saint Francis that adorns its shield, joining the inhabitants of this old and noble city together.

The Church of San José

This church (where I was baptized) was the connection between the Campechano Institute and the Prevocational School. Back then we used its small atrium (overgrown with grass and weeds) to kill time playing games, buying candy from the stands, watching the schoolgirls walk by and calling out the occasional flirtatious wisecrack to them, as well as for settling disagreements with fistfights.

The church facade is comprised of three superimposed sections. The first features a large door with a pentagonal sawway and a stone frame, flanked by pairs of columns on pedestals, with Attic bases, fluted shafts and Doric capitals. The entablature of the second section is in the same architectural style as the columns, with an architrave, a frieze, a shield within a medallion, two columns on either side and an octagonal bull's-eye containing a small sculpture, possibly of the patron saint.

The third section is in the form of a pediment with pinnacles at intervals, and the entire facade is decorated with tiles forming various designs. As a whole, its frontispiece is in a plateresque style with Moorish traces. The church has one tower, square, and a single nave. At one time, the tower had two sections like those of the cathedral, but only one remains. The nave has a barrel-vault ceiling; its final segment forms the transept which features a cupola on a tambour base, topped by a small lantern. A small tower was later built opposite the main tower to hold the city's beacon.

In 1914, military authorities sentenced all the priests residing in the city to prison, closed the Catholic churches and sealed their doors. Marist and other religious schools were also shut down. Three days later, Álvarez reports, the church of San José was vacated and all its sacred images, paintings, sculptures and ornaments moved to the cathedral, as it had been earmarked to house the library of the Campechano Institute.

When the bells were taken down from the belfry, the largest one, bearing the date 1800, destroyed part of the stone cornice on the church's first section. The Church of San José had been inaugurated in 1809, when the Catalan architect Santiago Casteillo completed the cupola over the transept. It was 105 years old by its closing in 1914. The bell tower was in the second section.

San Juan de Dios Square

I used to like walking through the city. Sometimes I would go down the alleyway from school to the Federal Quarters and from there to Los Repollos Park, or down Calle de la Muralla (now Calle 8), passing the Municipal and Government Palaces, then on to the market, winding up at the Santiago Bastion and the armory, whose dilapidated yellow stone walls took us back in time.

Colonization had reached an advanced stage as houses of varying heights roofed with tiles imported from Marseilles arrayed themselves in rows from the armory grounds to the vacant lots of the Church of San Juan de Dios and the adjoining hospital.

Prior to 1626, there was a small hospital at the end of the street San Juan de Dios would stand

on named Nuestra Señora de los Remedios. That year Fray Juan Pobre, general commissary of the order of San Juan de Dios, sent Fray Bartolomé de la Cruz along with three hospitaler brothers to take over its management and administration. In 1635 it underwent general refurbishing and the name was changed to San Juan de Dios Hospital. The adjacent church was completed in 1675.

In 1865 Empress Carlota Amalia arrived by carriage to visit the hospital. She entered through the main door of the church, knelt before the Sacrament and lingered over the image of the patron saint. She then moved on to the spacious wards for both male and female patients, going from bed to bed asking each about his or her condition, the food, the number of doctors and employees, all to familiarize herself with the state of the hospital's affairs. She also made a donation of 1500 pesos to construct an operating room, a cistern, and a wing for the mentally disturbed adjoining the hospital and under its administration. For this purpose, three houses next door to the women's infirmary were purchased and the hospital building was expanded to encompass the entire block.

The Cathedral

Like the plaza, the cathedral had quite modest beginnings. In 1540, Francisco de Montejo the Younger ordered the construction of a parish church which may have consisted of a small lime and stone structure with a palm leaf roof. In 1639, Francisco Cárdenas Valencia wrote that, "the Villa y Puerto de San Francisco de Campeche lies thirty-three leagues from the city of Mérida. [...] This place of as many as 300 citizens [was] originally founded by a mere thirty conquistadors, who, because they numbered so few, built the tiny church that is still there today. [...] It had two beneficed priests and both attended to the parishioners, who numbered 2700 persons of all ages, Spaniards as well as *mestizos*, mulattos, Negroes and free Indian servants. [It had] a benefice founded with $8000 given by Captain Íñigo Doca."

The exact location of this church is uncertain since on Cardona's 1632 map it is shown in perspective from the sea, where it seems closer to the beach and the plaza, next to a building that could be the El Bonete Fort or the Old Fortress. Here it appears to have had a plain facade with a belfry and a small tower at the end of the nave. The date it ceased functioning is also unknown, but we do know from López de Cogolludo that around 1650, "because it was so small, [it had to be replaced] by a much larger one, and although a great part of it was built, work on it was halted many years ago."

Thus, it seems that the construction of the church began in 1541 and was completed in 1580. Between 1639 and 1650 the construction of another larger one began—the present-day cathedral. Preciat informs us that "the project continued with donations from the wealthy proprietress Margarita Guerra, the building having been blessed by Bishop Fray Pedro Reyes Ríos de Lamadrid on July 14, 1705. [...] Nevertheless, it was still unfinished [as] its towers had not been built. [...] Fifty-three years later, with Father Manuel José de Nájera as its priest and administrator of its building fund, the church was enlarged to its present form; the tower on the ocean side was erected [...] and the bells that were previously in a tower at the center of the facade were hung there; the first public clock was installed as was a beautiful, finely carved Spanish shield in the center of the frontispiece, which was ordered destroyed following Independence and then had holes bored into it to hold the municipal clock."

The work was carried out between 1758 and 1760, and in 1835 the Bishop of Yucatán José María Guerra, native of Campeche, solemnly consecrated the church.

Streets and Corners

City life is linked to its streets and corners. Around 1685 they were known for individuals who lived on them, for example, Calle del Capitán Gaspar Fernández, Calle de la Derecha, Calle de la Bayona, Calle de Julio Tello, and some one hundred years later, Calle Martell and de Arreola, running north and south from the western side of the plaza respectively. Street corners were similarly dubbed: Doña María de Ugarte, Ayudante Pinto, Fernando Sánchez and Josefa Román.

In 1872, a committee assigned names to the downtown streets but they were replaced by numbers in 1912. The north-south perpendicular streets were designated as Calle de la Muralla (now Calle 8), del Comercio (10), de Colón (12), de Moctezuma (14) and de Morelos (16); while the east-west cross streets were Calle de Toro (51), de Iturbide (53), de la Independencia (55), de Hidalgo (57), de la América (59), de la Paz (61), de Zaragoza (63) and Calle de La Reforma (65).

Street corners gradually became known by names recalling events, objects and animals such as The Strong Arm, The Elephant, The Rooster, The Bull, The Star, The Great Power, The Rosebed, The Diamond Point... Furthermore, there were alleys known as The Goat-Herder's Cross, The Pirate, The Japanese Lady, The Coconut Grove and Monte Cristo.

The Houses

Colonial houses—made of rubblework, one or two stories high with flat roofs, or roofed with red baked-clay tiles from Marseilles—reflected the Mudejar influence in their wooden window frames with thick turned bars, shutters and balustrades; in the latticework panels on stairways, doors and windows; and of course, in the furniture: benches, tables, chests, beds, folding screens, chairs, dressers, writing desks, armoires and much more, some of which had inlaid bone, ivory and tortoiseshell.

Past studded doors and gloomy vestibules, one can spy courtyards paved in tile or red brick, filled with vines and songbirds fluttering in their cages along corridors lined with archways.

The houses, writes Jean-Frédéric Waldeck in 1834, "are all inhabited by families or people who live alone. Rented houses cost between ten and fifty pesos a month depending on their size. The more expensive ones have shops and storefronts suitable for businesses. They all have wells, courtyards and from six to twelve rooms, generally all on a single story. The kitchens are spacious and comfortable, and the only fuel used is coal burned in French-style cookers."

And he adds, "Campeche's only potable water is held in cisterns in private homes. What is sold in the streets comes from wells outside city limits and is brought in by wagon. Two small barrels cost a *medio*, the smallest silver coin." Around midday, customers would start trick-

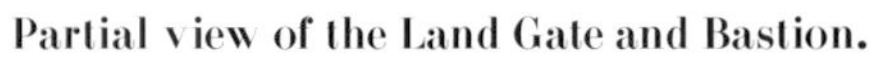

Partial view of the Land Gate and Bastion.

La ciudad de
CAMPECHE
GOLFO DE MÉXICO
A 4 KM.
AV. ADOLFO RUIZ CORTÍNEZ
AV. 16 DE SEPTIEMBRE
PARQUE MOCH COUOH
AV. RESURGIMIENTO
AV. JUSTO SIERRA
CALLE 8
CALLE 10
CALLE 12
CALLE 14
CALLE 16
CALLE 18
CALLE 49-B
CALLE 51
CALLE 53
CALLE 55
CALLE 57
CALLE 59
CALLE 61
CALLE 63
CALLE 65
CIRCUITO BALUARTES
C. GALEANA
C. PEDRO MORENO
MERCADO
ALAMEDA
AV. REPÚBLICA
HONDURAS
GUATEMALA
PUEBLA
AV. CENTRAL
IMSS
AV. ADOLFO LÓPEZ MATEOS
QUINTANA ROO
JOSÉ A. TORRES
CALLE GALEANA
CALLE PEDRO MORENO
1
2
3
4
6
7
8
9
10
11
12
13
14
15
16
17
18
19
20
21
22
23
28
29

ALGUNOS SITIOS DE INTERÉS:
1.- BALUARTE DE SAN CARLOS (MUSEO DE LA CIUDAD).
2.- PUERTA DEL MAR.
3.- BALUARTE DE LA SOLEDAD (MUSEO DE ESCULTURA MAYA).
4.- BALUARTE DE SANTIAGO (JARDÍN BOTÁNICO).
5.- BALUARTE DE SAN PEDRO (ARTESANÍAS).
6.- BALUARTE DE SAN FRANCISCO (BIBLIOTECA DEL INAH).
7.- PUERTA DE TIERRA.
8.- BALUARTE DE SAN JUAN.
9.- BALUARTE DE SANTA ROSA.
10.- CATEDRAL.
11.- PARQUE PRINCIPAL.
12.- CASA SEIS.
13.- PORTALES DEL CENTRO.
14.- PALACIO MUNICIPAL.
15.- PALACIO DE GOBIERNO.
16.- MANSIÓN CARVAJAL.
17.- INSTITUTO DE CULTURA DE CAMPECHE Y ESPADAÑA DE LA IGLESIA DE SAN FRANCISQUITO.
18.- IGLESIA DE SAN JOSÉ (CONGRESO DE ARCHIVOS).
19.- CASA DE LAS ARTESANÍAS.
20.- TEATRO DE LA CIUDAD.
21.- IGLESIA DEL DULCE NOMBRE DE JESÚS.
22.- CASA DEL TENIENTE DEL REY.
23.- IGLESIA DE SAN ROMÁN.
24.- IGLESIA DE GUADALUPE.
25.- IGLESIA DE SAN FRANCISCO. Y PORTALES DE SAN FRANCISCO.
EN LOS EXTREMOS DE LA CIUDAD:
26.- BATERÍA DE SAN MATÍAS.
27.- FUERTE DE SAN JOSÉ (MUSEO).
28.- BATERÍA DE SAN LUIS.
29.- FUERTE DE SAN MIGUEL (MUSEO DE CULTURA MAYA).
30.- BATERÍA DE SAN LUCAS.
© DIBUJO: J. RUY SÁNCHEZ C.
N
A 6 KM
26 27 30
25
C. MARIANO ESCOBEDO
CALE RIVA PALACIO
MIGUEL ALEMÁN
CALLE LEANDRO VALLE
CALLE 45
CALLE 12
CALLE 14
CALLE 10
VÁZQUEZ
CALLE OCAMPO
CALLE CIRIACO
CALLE 47
CALLE 16
CALLE 18
OBERNADORES
CALLE COLOMBIA
TAMAULIPAS
C. ZACATECAS
NICARAGUA
24
18
12

ling into the taverns to "make the morning"—though this often lasted until bedtime. At around two in the afternoon, the plaza and streets emptied, and it was rare to see a single soul wandering about. The stores closed their doors, and after eating lunch, *criollos* and locals would take time for a siesta. Then, a few hours later, everyone would wake up, bathe and dress, as if coming back to life.

The church bell rang every night at eight o'clock sharp, signaling for all the people on foot or on horseback to stop dead in their tracks. Men removed their hats and women knelt. The sentries presented arms, and the soldiers crossed themselves. At nine or ten, curfew was sounded, signaling time to return home.

The Market

The slaughterhouse that later became the market was situated near the wharf's courtyard. Besides its obvious function, the wharf also served as an arsenal, warehouse and occasionally a jail. Beyond its courtyard, there was a vacant lot and then the land occupied by the market, which, according to Álvarez, around 1818 was a gallery or arcade with stalls selling beef, pork and vegetables.

A gallery with a tiled roof was built in 1873. The following year the floor was laid with bricks, and in 1875 construction of the public market began. By 1880, it was a long spacious corridor with beamed arches and flat roof sections. Beef and pork were sold at one of the portals, another was for fried, grilled and salted fish (as fresh seafood was sold at the fiscal pier), and stands with large fruit such as watermelon, cantaloupe, pineapples and sugarcane were in yet another portal. Vegetables were sold from tables rented by the vendors along with the stools they sat on. This old market survived past the turn of the century, before the idea of building a new one on the naval shipyard grounds arose.

The Black Christ of San Román

From the town's very foundation, the indigenous Mexicas who had accompanied Francisco de Montejo the Younger during the conquest of Campeche settled the area that would later be called San Román, after the hermitage completed in 1563 that adopted Saint Román the Martyr as its patron saint.

At that time, the barrio was inhabited by Mexicas and sailors, but history neglects to tell us who decided to place the image of a black Christ on the Cross in the hermitage. In this regard, it must be remembered that the Mexicas worshipped Tezcatlipoca, the "black god of war," a cult the Spaniards tried to eradicate by substituting the native image with that of Christ, which had to be black in order to be accepted. Thus, in several places in the country that were once home to indigenous war groups, there now exists the image of a black Christ. Furthermore, Guatemala's production of religious imagery enjoyed a boom in the sixteenth century. As the region pertained to the Yucatán Diocese, many black Christs magnificently carved in ebony came from there.

However it may be, there is a fine line between history and legend. It is said that in 1565, the image of Christ on the Cross found its way into the hands of the merchant Juan Cano de Coca Gaytán, who purchased it in Alvarado and took it to Veracruz. As the story goes, the first ship Gaytán approached refused to transport the precious cargo from there to Campeche, and it had to be taken aboard a smaller, more humble vessel. After leaving the port of Veracruz, a norther blew in and the boat carrying the Christ reached its destination the next day, while the other one was lost forever.

From then on, the image known as the Lord of San Román or Black Christ of San Román was housed in the hermitage. A monastery was eventually built alongside it, and it got to be the site of processions and fiestas that became part of local tradition.

For us, the San Román Festival began (after the "Lowering of Christ" for it to be kissed by the faithful) with the arrival of Juan Escárraga and his fair rides: the Wave and the Merry-Go-Round, propelled by steam engines set up behind the church buildings, across the street from a restaurant called the Cofre.

On the grounds near the restaurant, pavilions with canopies were erected for the shows put on by performers from Mérida. By the park, temporary structures with sheet metal roofing were set up for playing the local version of *lotería*, with prizes awarded in merchandise. There were also beer halls, stands selling *empanadas*, *panuchos*, turkey sandwiches and pork tacos, and of course booths with peeled oranges, *guayas*, corn-on-the-cob and other treats.

Masses, fireworks displays, noisemakers and firecrackers, music at the church entrance and in the public garden, dances at Casa Nevero, guilds' processions at daybreak—all were part of the festivities that brought Campeche's society together.

A Few Final Memories

Many images nearly elude recollection, such as the old slaughterhouse by the sea, two blocks from the Barrio de Guadalupe, the naval shipyard, the City Theater, the Alameda, bullfights, carnivals, the *voltejeo*, kite contests, the train station, the La Kananga Theater, the Renaissance Amphitheater and so many other places of interest that have made life pleasant and entertaining in Campeche over the years.

Moreover, each generation enjoys the same things but remembers them differently. In my childhood, before I went off to trade school to study shoemaking, I used to observe the mule-drawn streetcar that ran on a narrow track in the plaza before it was replaced by buses, and the laurel trees that provided shade in the square, and the cement benches, a welcome rest, although once night fell you were prone to being hit by swallow droppings.

A trip to the Cuauhtémoc arcade to shop at the stands hugging the wall between the two doors of the Los Cambranis cantina was part of the daily routine. There you could buy delicious Fleites ices in all kinds of flavors, or the regional candy sold by Tabich, anything from sweet potato with pineapple or coconut to squash seed marzipan and guava paste.

In the streets, the fruit seller would go by with a washpot on her head or basket under her arm. From between the mangos, plums, sapodillas and tamarinds, it was the *caimitos* that made your mouth water. The urge to slit the bottom, kiss the white or purple skin and suck out the pulp was irresistible, or to peel a cherimoya scale by scale and taste its luscious flesh, or even chew tart green gooseberries until you could feel the insides of your cheeks pucker.

The water vendor also passed by, and he would dispatch the liquid from a tap on his keg into cylindrical measures with handles. The fisherman with a woven basket full of pompanos or sierras balanced on his head, his pants usually rolled up to his knees, would pass through the streets calling out what he had for sale. And of course, the tortilla seller with her *lek* or basket, dressed in a blouse, skirt, *rebozo* or shawl and slip-on shoes.

The milkman with his heavy tin milk cans and liter, half-liter and quarter-liter measures of the same material; the ice-cream man with a metal container that looked like a miniature rocket ship. And finally, the baker, who went from house to house with a tin ball on his head. He would uncover it to reveal a variety of pastries—*camelias, roscas de agua, patas, hojaldra*—letting escape an unforgettable aroma.

Translated by Lisa Heller.

SINFUL WARMTH

The Demons of the Port

CARLOS E. RUIZ ABREU

One institution that may paint us an accurate cultural, psychological and moral portrait of Campeche's viceregal society is, surely, the Inquisition. Through its executive arm, the Tribunal of the Holy Office, it maintained itself apprised of the daily lives and secrets of the civilian, ecclesiastic, military and administrative population of what was then New Spain's second-most important port on the Gulf of Mexico. In those days few could afford to cast the first stone and most preferred to keep to themselves, as under the inquisitorial gaze of the Catholic Church everyone was somehow guilty of sin, no matter how great or small.

The Holy Office hunted out corrupt minds. Some escaped prosecution, while the innocent often had to pay for the guilty. Such is the course of justice on Earth as it is in Heaven. And though the severe punishment and even torture meted out to those who dared violate God's will was common knowledge, the port's demons never seemed to rest. A cloud of mystery and bewitchment shrouded Campeche. During three centuries of colonial history, thousands of ships with questionable cargo passed through the port. They carried books banned for harboring vile and discordant words, images of the devil and ideas that appalled the Catholic Church and the Spanish monarchy. They also ferried men and women who proselytized in favor of Judaism, others who were bigamists, polygamists, heretics and blasphemers, or even lecherous priests. All of them made their way through the port, acting out their transgressions and seeking like-minded individuals. The demons of the port formed an army of over 400, according to Inquisition documents kept in the National Archives.

Of the cases documented, bigamy was doubtless the most common crime, practiced by seafarers as well as port residents. After several months at sea, their only companions the water, the sun and the moon, sailors, soldiers, colonists and merchants—though already married in Spain or England—were relentlessly haunted by a single desire: a woman who would sweeten their lips parched by the salt and sun, who could relieve the loneliness and passion brought on by forced abstinence, who could reawaken a sailor's lust for life, whetting his appetite for food, drink and sex, giving him a reason to go off to sea and something to look forward to upon his return—a woman who could bear his child, further granting him a sense of belonging and security for the future.

The list of men accused of bigamy by the Holy Office of colonial Campeche is long indeed: the Spaniards Francisco Guerra and Agustín de Quezada; Francisco Alberto Bencomo of Tenerife; José Román Curbelo from the Canary Islands; Antonio Pérez, a tailor; Manuel de Medina Salvatierra, a sailor; Sebastián, alias José Cordero, a rough carpenter; and José Miguel, alias Miguel Antonio, a freed black slave married in Campeche and Tabasco, to name just a few. Many men were also tried for polygamy, including Tomás Mazola, a bass-fishing net-handler; the Spaniard Nicolás Naranjo; José Rodríguez and Pedro Antonio Cristal alias Calderón. These lists, as well as those that follow, are but a token sampling of the immense roster of individuals who violated divine law. The diversity among the accused is worth noting—whites, blacks, mulattos, *criollos* and *mestizos* from the four corners of New Spain, from the islands of the Gulf of Mexico and the Caribbean Sea, from Spain as well as North and South America, young men and old, merchants and artisans, priests and mayors.

Inquisitorial prosecutors were relentless in their pursuit of those who uttered indecent words or stated opinions that ran counter to the Church's established canons—these sorry creatures were accused of blasphemy. Though decrees were posted at the customhouse, the docks and all around town, commissaries of the Holy Office were constantly reporting cases of demons who went about speaking in 'worldly' terms which, though they very accurately described human reality, were perhaps not so well suited to the divine—hence, language that should not even enter one's mind, much less be expressed in public. One of the best known cases of blasphemy is that of Pedro Recio who, one August afternoon in 1616, gazing wide-eyed at the immense sea, stated before a group of friends that if his enemy were to go to heaven, he would follow him there to deal him the death blow. Before then, in 1612, Domingo Flores had been charged for speaking publicly of a custom initiated by Francisco Montejo the Nephew and practiced in the port ever since—"it is not a sin to be with a woman if she is paid."

Captain Juan Matilla, a native of the port of Veracruz, anchored his schooner in the Bay of Campeche's still waters. When day broke he was surrounded, as always, by a crowd of merchants, dock workers, peddlers and viceregal bureaucrats. Standing at the tip of his ship's prow, he could not resist voicing what had come to his mind the night before: "I heed the proclamations of the governor of Campeche, for they are more compelling than the pope's." Captain Matilla sailed to and from Veracruz twice more without any problems. However, on his third trip, the Holy Office had him detained and tortured for one year to make him understand how wonderful life was when freed from diabolical influence.

José López had grown weary of seeing tall ships dock and witnessing the bustling trade that brought prosperity to so many of his fellow townsfolk. He contemplated his own malnourished body and yet tried not let his thoughts stray to mischief so as not to offend his Creator. But one day the burden became too great to bear and he hurled a string of insults against the civil and religious authorities. There was to be no salvation for López: he was accused of blasphemy and tried for uttering "indecent words against Jesus Christ."

Agustín Barranco, like any good portman, bad-mouthed anyone who crossed his path and told rude jokes and stories in the region's peculiar accent. For a long time he offered ready entertainment to anyone who would listen during the tedious hours before nightfall. But a spy of the Holy Office overhead him and, though he too laughed heartily at Barranco's lewd puns, denounced him to the authorities.

"Travel enlightens" states the proverb, and so it is no coincidence that most trials for blasphemy involved sailors who carried the colorful rhetoric they had learned on their journeys from port to port. Juan Esteban, a ship's guard, and Pedro Hernández, a navigator by trade, were accused of blasphemy for reciting prayers they would then ridicule and satirize. Boats transported not only goods but sometimes also heretical passengers and the Renaissance ideas that were spreading through Europe. Thus many nonconformists appeared in the port of Campeche—a Portuguese man by the name of Antonio González, a Calvinist Swede named Daniel Zidenstron accused of being a Lutheran, Carlos de Mayen, a heretic mulatto, and two Frenchmen named Santiago Gerrons and Julián Verron, the latter of whom hung himself after hearing the sentence the Royal Criminal Court of Campeche had pronounced against him.

One of the most infamous cases of heresy was that of José de Almeida, a Franciscan monk born and bred in Campeche. He was a commissary for his order, a teacher, supply preacher, papal notary and synodal examiner for the town. Nevertheless, as he confessed to a Holy Office commissary, he had let the devil take possession of his soul. On his fifty-ninth birthday, he had decided to relinquish his Roman Catholic faith and become an Adamite, Gnostic and Anabaptist. Among other eccentricities, Fray Almeida worshipped in the nude, practiced a philosophy that mixed Christianity with Judaic and Asian beliefs, and thought children should not be baptized before gaining the power of reason. For all this he was quite deservingly accused of heresy.

Witchcraft, ubiquitous throughout the ages, was practiced in Campeche mainly by black and mulatto women who were commonly considered potential receptacles for unclean spirits. Some of these women had arrived aboard boats, victims of a ruthless commerce in slaves that took place daily in the port with the blessing of the Spanish Crown and the Catholic Church. Their legal situation was pathetic—they barely existed, and their owners could do with them what they pleased. Many were tried for witchcraft: Isabel, a black woman, because she was found in possession of powders; Catalina Antonio de Rojas, for using herbs; the mulattos Melchora González, María Mora, Mari Pérez and Ana de Ortega; and Ana de Sosa, who confessed having spoken to the devil. Alonso Pérez, a black man, was tried for using witchcraft for the purposes of healing, as was the Indian Alonso. Miguel Jasso Coyote and the mulatto woman Marcela were accused of being sorcerers.

In the most notorious witchcraft trial in the port's colonial history, charges were brought against the Spanish woman María de la Luz, alias La Ceibana, and her two companions, a black woman named Rufina and the indigenous woman Antonia Xeke of the Barrio de San Román, for inciting their friends to join the port's demonic hordes.

In this cove of the Gulf of Mexico where heat and languor kindled all sorts of passions, even church ministers were not impervious to temptation. Many of them became allies of Satan, seduced by the glimpse of a breast or buttock half-revealed by the scanty clothing worn by uninhibited women in this citadel of seething desires. Priests crossed and whipped themselves, recited endless prayers in desperate attempts to save their souls, but the flesh—infinitely weak—impelled them to seek the carnal pleasures of the women who approached them to confess their sins. The Inquisition tried the following men for soliciting: Fray Agustín de San Bernardo, alias Juan Pérez Quintero; Juan Raimundo Rodríguez; the Carmelite Miguel de San Francisco; Francisco de Guzmán, a Franciscan; Alfonso Pérez; Mateo González; Francisco de San Esteban, of the Augustinian order, and José Manzanilla. All had either verbally or physically seduced or attempted to seduce women entering their confessional boxes. The pursuit of pleasure had made them stray from the path of dogmatic reason, and they too became demons of the port.

The Tribunal of the Holy Office of the Inquisition—created to suppress expressions that conflicted with church doctrine and to mold behavior according to Catholic morality—surely had a formidable influence on the society of colonial Campeche. Nonetheless, many of the port's fiends never learned their lesson. By nightfall, the last rays of the purplish-red sun left the townspeople parched but also lubricious. The hour had come for them to bathe, splash on perfume, change clothes and go for a stroll by the customhouse or the central plaza. Some attended mass, but others made plans for when the streets grew quiet—to be carried out very cautiously and surreptitiously. Forbidden love was consummated preferably aboard ships, where depravity's only witnesses were the sea and the dark sky. The demons of the port of Campeche then faded into the moonlight on a sea that was gentle, but full of adventure.

Translated by Richard Moszka.

GUARDED WARMTH

Lights and Shadows of the Walled City

JOSÉ ENRIQUE ORTIZ LANZ

The Yucatán peninsula was very different to the rest of the territory sounded out by sixteenth-century explorers. A land that was flat as far as the eye could see, and the horizon was broad indeed. Yucatán's enormous scale was quite unlike the rough terrain of the Caribbean islands these new argonauts had settled but a few years earlier. A coast covered with lush vegetation and roamed by unknown animals. Closer observation revealed the remnants of ancient cities that looked like Cairo, a dreamworld of fantastic settlements amid

the undergrowth that hugged the stone buildings. Brilliant white walls reflected the blinding sunlight, and many Spaniards came to think they were made of silver and described them as such. They knew nothing of the silvery lime they would from then on encounter everywhere. News of this marvelous land and its streets cobbled with silver stones spread like wildfire and a new wave of expeditions followed the first. Sailors did not tire of boasting about their new finds, some saying they had finally reached Cathay while others—of slightly sounder mind—insisted that this was something entirely different. Only upon encountering the natives did the map once again begin to make sense. This was another country, quite densely populated at that, and the first question to be asked was: do they have any gold? The answer was yes, and the conquistadors' thirst, like a sickness, grew more intense. No one thought to ask where it came from: securing the strangely sculpted gilded jewels was all that mattered. Finally someone was wise enough to inquire, and the solution was to continue the voyage, leaving the island—which they thought the peninsula was—and going still further west, following the sun, to the empire the treasures came from, the realm of Anáhuac.

As soon as the kingdom of Mexico toppled, the conquistadors began divvying up the vast surrounding territories among themselves. In reward for his work exhibiting the Cross, but mostly for unsheathing his sword, Francisco de Montejo—a native of Extremadura like Cortés himself—was bestowed a special honor by his Gracious Majesty the King of Spain himself: he was granted the conquest of the land of the Maya, a region scorned for not possessing within its bowels the coveted gleaming substance.

The task was not easy; a few hundred adventurers were faced with great, engulfing mobs of hostile inhabitants. Growing tired of his many battles, the new captain had to surrender his command to two of his descendants who both bore his name. From then on, history would call them *el Mozo*, the Younger, and *el Sobrino*, the Nephew, to tell them apart from Montejo himself, the captain general.

Our story really begins around 1540, when Montejo's rookies finally manage to capture a key city: Ah-Kin-Pech or Kan-Pech. As chroniclers do not agree on a name, to avoid confusion it might be best to call it "San Francisco" in honor of the patron saint of its three new lords, adding "de Campeche" in remembrance of its indigenous origins. It was by this name that the now-Spanish port would come to be known around the world, though the reference to Saint Francis would be forgotten in due time.

The instructions the captain general gave El Mozo were very precise. The kingdom's new capital was to be established in a practically deserted ancient city: T'Hoo, the city of the haunted sector, the city with the steep pyramid that looked like a castle. The enterprising Spaniards left their port of safety and set off on their long inland march. After great suffering and rivers of blood, the stubborn inhabitants surrendered to the Montejos, acknowledging them as the sole representatives of their new king. The ancient Maya remains of T'Hoo were then renamed Mérida, after the city in Extremadura built over the vestiges of a Roman metropolis.

Now a new problem arose: how do we excise these treasures from the Mayab? Where on the coast will our women land? Solutions were not easily found. Due east, toward the Caribbean, the raging waves broke against a vast coral reef and, moreover, it was much too far from the city that was both the king's and the pope's seat of power. To the north, just a few leagues away, a sea that seemed calm but that could become quite treacherous when storm winds came blowing, lashing and wrecking the ships that dared challenge it.

Nevertheless, unaware of the danger, the Spaniards set port in Sisal, placing it under the protection of the Mother of God to make the miracle complete. They were then faced with other challenges: a sound that separated the white shores from terra firma, a marsh that became impassable with the coming of the rainy season. To the south, the unknown, what we now call El Petén, a dense overgrowth that rose up like the most mysterious of ramparts, like yet another sea, only green, uninhabited, and what is more, waterless in spite of its luxuriance. Contradictions peculiar to exotic lands.

And so the Spaniards had no choice but to turn their eyes back to their point of departure, the port of San Francisco de Campeche, where their ships had already found safe harbor. Its coast was a little more shielded from cyclones and other northerly tempests and could therefore shelter the long-awaited vessels in spite of its shallow waters. In time, this impediment be-

came a source of amusement for landing craft operators since the great ships would be eternally condemned to mooring in deeper waters, yearning to approach but cautious of sandbanks and the even more dangerous low tide, when the sea, as if startled by its closeness to dry ground, fled as far off as it could, leaving the unwary stranded.

■The Legend Begins

Perhaps hoping to be the first to receive news of the homeland they so dearly missed, a small group of Spaniards settled in San Francisco. They began to gather wares, some the fruits of pillage, others through king-given rights, and most through the payment that the Indians would thenceforth owe these blessed recent arrivals for the immense favor of educating them and teaching them the divine Word and the customs of the new God, a privilege they oftentimes had to pay for with their lives when they had no goods to cover the tax. This duty we will politely call *encomienda*, or patronage.

But there were other men who did not understand the word of God, even though Pope Alexander IV himself (coincidentally a Borja, which the Italians mistranslate as Borgia) had said that according to God's will, all the lands already discovered and those yet to be so would be divided between Spain and its neighbor Portugal. First the French and then the subjects of the rebel-queen Elizabeth disobeyed the command of the Iberian god. King Henry I of France—the eternal enemy of Charles V, the first Spanish king of the House of Austria—dared to blaspheme, "What? The sun shines for me as it does for everyone else! I would like to see the clause in Adam's testament excluding me from a part of the world!"

War was certain, and the best was to take advantage of the territory's vast extension to try to hold back a part of the river of gold that flowed between America and Seville. But things had to be organized, licenses issued, permission obtained to attack enemy possessions—a letter of marque or *patente de corso*, from which the term "corsair" derived. The settlers of the sparkling new town were surprised indeed when news came that the first ship of deep draft to grace their port had finally arrived. They were even more so as they helplessly watched how the heretics—as they were French and, if that were not enough, Lutherans—plundered their cargo.

The maritime route had already been drafted; the port of call halfway between Havana and Veracruz increasingly became an eagerly awaited stopover. Aboard the ships, anxious seamen watched as their freshwater supplies evaporated, the hardtack took on a very suspicious greenish tinge, the jerky smelled rank no matter how much spice was used to cure it, and the hold began to pool with saltwater. A supply post and shipyard were urgently needed to repair the damage time had done to the barnacle-covered hulls, and what better place than this port along the Mayan coast, with such still waters (as long as the violent north winds did not blow) that many wondered if, rather than an ocean, this were not an immense and peaceful saltwater lake.

In the end the Spaniards found their gold, only it was not the iridescent powder other regions of the Americas had paid so dearly for. It was a strange kind of wood, a tree that lifted itself up onto aerial roots like a giant spider, as if nature had wanted to build vast and whimsical lake dwellings for the cranes, cormorants and other water fowl that nested there. These were the mangroves that spread, impenetrable, all along the shores of the endless lake of their dreams. Within all these branches flowed a substance that could dye the finest cloths in a range of colors that went from purple to black. After such a long quest and so much blood spilled, who would have thought the wealth of a region would be based upon a plant? The forward-thinking Spaniards decided that from then on, the precious sap of that tree (explicitly called campeachy wood or even *palo de tinte*, "dye wood") could only be traded in Andalusia. If the eager European cloth manufacturers wished to purchase it, they would have to do so in Spain and nowhere else. Their ambitions were in vain.

The area's ensuing prosperity would not only attract friendly ships. The port was accessible—too accessible—and the coast offered hiding places for small craft such as those favored by the corsairs who had become adept at evading Philip II of Spain's presumptuously large vessels which were helpless before their speed and skill at navigating the shallows.

Protected only in spirit by the pope's holy ordinance, the new colonists looked on powerless as rival nations purloined their sacred heritage. First the poorest islands and then—sacrilege!—the shores of the great continental territories. San Francisco de Campeche's inhabitants were dismayed by the heavy trade in wood, especially the wood banned by the monopoly in dyes. But the English infidels went even further: they brazenly settled where cartographers had marked the limit of the island of Yucatán, in the Términos Lagoon. This was the densest and wealthiest source of precious wood: endless groves of campeachy wood along the shores and inland, a fantastic overgrowth of cedar and mahogany, other gems of the tropical rainforest.

But these grim reapers of forest treasures did not stop there. Unsatisfied with their new timberland, they set up a base from which attacks on the port of Campeche and small coastal towns were launched with exasperating frequency. The bold ships that dared sail alone were their favorite victims.

Not all their efforts were spent raiding, as they also focused on trade and even more so on smuggling, the harshly punished illegal shipment of goods. A great part of the relations established between the new British colony and the Spanish port toward such dark ends have been erased in time or simply never chronicled: Campechano pirates like Juan Darién who joined the ranks of the dreaded Captain Morgan and African slaves who grew up in the port and attacked it later—such as Diego the Mulatto who cried over his godfather's body, murdered on one of his raids—bear evidence to the closeness of such forgotten ties. However, these subrosa dealings had little to do with the goods piling up in port merchants' storerooms, which, despite concerted efforts by royal officials, seemed inexhaustible: British beer; French textiles; Italian wine; cheese, lace and other Dutch treats appeared mysteriously in town and from there made their way to the far corners of the peninsula, much to the delight of those in charge of keeping material and godly order in this land of ignorant heathens who did not require wonders from overseas.

■The Fortified Town

Who would have thought! Churches became bastions not only for defending the faith but also for more mundane matters such as pirate raids. Thus, the church and monastery of San Francisco, in the neighborhood of the same name built over the remnants of a Mayan village, became the first line of defense for this town, no longer just a port, when in 1597 an Englishman by the name of William Parker came ashore in a daring raid. The citizenry's prayers were answered as the hard sapodilla wood gates resisted the pirate's best efforts to break them down. Then the roles were reversed and the prey became the hunter in a violent game that many of those involved, especially the subjects of Good Queen Bess, would rather have eschewed.

To avoid such scares, in 1610 the town council began the construction of public defense works. But who would stand guard behind the ramparts? The municipal militia was too small to thwart the assault of even the weakest contingent of the king's vile enemies. There was no other choice but to recruit the townsmen themselves—only those of European descent of course—who, with their spears, shields and swords, would claim all the credit for the vic-

ON THESE PAGES: **Bastion of San Miguel.**

tory while their enormous reliance on archers of Mayan and Central Mexican origin went unacknowledged, as Indians had no honor and were allowed no benefits for services rendered to the Crown.

And so where should these gems of military architecture be built? The port had to be protected along three fronts. The most vulnerable by far was the district of San Román as it was the entrance to the road to Lerma where coastal waters were at their deepest, and as such, where pirates usually landed. The fort was called San Benito, in honor of the sainted monk whose name the Spaniards invoked against this calamity, and of course to extol the virtue of their possible deaths. Such a powerful saint's guidance did not prevent the fort—built by human hands after all—from suffering from so many defects that it was bombarded and easily destroyed by a Dutch atheist, the feared Mansvelt, heedless of divine intervention but consummating the miracle nonetheless by providing the honorable end the Spaniards had prayed for.

It also seemed convenient to build a fort on the edge of the main square, close to the well that supplied some households' water, and to the dreaded pillory. Rounding out the powers represented in the plaza were divine authority in the form of the parish church, monarchic authority with its Royal Houses and City Hall, the *encomenderos* or feudal estate lords with their beautiful, breezy mansions, and finally, the few soldiers attached to the fort renamed more often than any other in the town's history. First called San Francisco, it was later rechristened according to passing fancy: Principal, owing to its strength and importance; Bonete, as it resembled the two-pointed hat the clergy wore; Fuerza Vieja, as it was the only fortress to resist enemy assaults with some dignity; and finally San Carlos, in praise of the sadly dull king in power, Charles II, the barren twig that would spell the end of the House of Austria in Spain.

If ever there was a useless line of defense, it was the third fort to be built in the early seventeenth century—San Bartolomé, between the Guadalupe and San Francisco neighborhoods. On one occasion, around 1678, it only served as a prime vantage point from which to watch as yet another scoundrel outwitted the town guards, daring to land where no one else had before and taking the town by surprise. It was none other than Lewis Scott.

Several years passed, many pirate raids took place and more Campechanos died before authorities decided to improve their defense strategy. But once again they only focused on the coast of San Ramón, barring the way to Lerma with a trench, blockhouses and a fort they baptized Santa Cruz, in reference to the wooden cross erected on a nearby hill, convinced that its shadow would sow panic among the rogues who had started calling themselves freebooters.

Who might have imagined that the worst was yet to come! While authorities busied themselves with fortifying the town and Governor Esquivel spoke of his scheme for a "great rectangle" in 1664; while the learned Fleming Martín de la Torre interrupted his astronomical observations to perfect a blueprint and write his dissertation on the town's defensive scheme in 1680, the evil inhabitants of the accursed island of La Tortuga, off Santo Domingo, conspired to seize the village lying idle behind its useless defenses. They did so with startling efficiency: the morning of June 6, 1685 was etched with blood and fire upon the memory of Campeche's inhabitants. The saddest day of its genteel existence had arrived, and thus history repeated itself. All the pain, all the lives, all the effort, all the riches wrenched from the indigenous population—the Spaniards of Campeche paid for all of this with their lives. Seven hundred ill-intentioned and well-armed freebooters did what illusions of power had led everyone to believe was impossible: the port's defenses fell one by one before the devastating advance of the man whose legal name was Laurent Graff, but who Campechanos called with even greater dread—as if it were the name of the devil himself—Lorencillo.

What had once been the proud port of San Francisco de Campeche—gateway to the prized timberlands of America and to the General Captaincy of Yucatán—was reduced to the smoking remains of bits of walls and broken dreams, precious trees and lives cut short and scattered hither and yon, stolen treasures and virtues, archives and memories forever lost. When the shaken survivors saw what was left of their fantasy, they were faced with a decision of far-reaching consequences: either the city had to be made into a true fortress, or be abandoned to its primeval inhabitants, the fish and birds. There was only one viable option.

The Immurement

While some collected their few belongings from among the remnants of the wrecked town and packed their bags for Mérida, Veracruz or Havana, others (only a third of its former population) reached the final decision: the city center would be walled in forevermore, with high ramparts that could thwart both pirates and freebooters. The survivors pooled their resources despite their greatly reduced fortunes, and even the king, humbled by so much grief, donated funds to build the dream.

Armed with determination, on January 3, 1686, the citizens of Campeche proudly attended a solemn ceremony to celebrate the laying of the rampart's foundations. The project borrowed on the design sketched out by Martín de la Torre—the Flemish scientist who by some strange twist of fate had landed on these shores so far from the god-fearing civilized world. It was modified by an amateur of recognized talents, Sergeant Major Pedro Osorio de Cervantes, the creator of the defense strategy that would bring the town its fame, and then reviewed and approved by Jaime Franck, an equally distinguished military engineer in charge of public works in Veracruz.

For a little over twenty years the town was transformed into a kind of gigantic quarry with the influx of rock hewn from nearby sites. Local lime called *sahcab*—literally "white earth"—was extracted from caves bordering the construction zone. Those in charge of the project were not aware (or pretended not to be) of the labyrinth of tunnels that was spreading under the city. When the work came to its end and guards were posted at the gates—among other reasons, to ensure that duty was paid on incoming merchandise—those tunnels would be shrouded in legends about ghosts and sorcerers transformed into animals (like the famous goat-warlock) told to entertain and frighten children on rainy nights, but above all to facilitate smuggling. In the early morning, many products subject to heavy taxes would magically appear in the storerooms of more than a few merchants, as if transported past city walls by the spirits that dwelled in legend and in the caves. The authorities, as always in tacit agreement, feigned ignorance of the underground routes. A century later, engineers would suggest demolishing most of the tunnels, proclaiming concern about enemy incursions, but surely with the clear notion of avoiding any capital flight to the businesslike Bourbon authorities.

The settlers that remained inside the enormous enclosure grew gradually accustomed to their new daily lives. From then on, every time a service had to be rendered or a payment collected, or simply to go for a stroll they would have to exit by one of two gates providing access to the San Ramón and Guadalupe boroughs that lent their names to their respective gates. Moreover, toward the blue horizon, there stood a third gate called the Puerta de Mar or Sea Gate, opening onto a small wharf that was the hub of much of the town's activities. This was where canoes and small craft docked, unloading goods from the ships anchored farther

ABOVE: **A street corner in one of the outer barrios.** FOLLOWING PAGE: **The former residence of one of the King's lieutenants.**

out. Here, fishermen loudly proclaimed the fruits of their labor at the break of dawn; mule-drawn carriages and dock workers added to the racket with neighs, whoops and hollers announcing the cargo's destination; and curious onlookers joined in the tumult guessing at the contents and recipients of the crates.

But those that were left outside, the barrio-dwellers, watched as certain scenes repeated themselves with distressing frequency—an outcome of the newly erected barriers: an indigenous woman from Santa Ana or Santa Lucía had to demonstrate great skill as she balanced her exotic headdress consisting of baskets filled with cherimoyas, *pitayas*, guavas or delicate sapodillas, while dodging potholes, stones and heaps of lime; two men from San Francisco swatting flies and struggling in the hot sun under the weight of a recently butchered hog, cursing the extra blocks added to their route home from the slaughterhouse; and three dock workers who had to bear their heavy load of white sailcloth along the thoroughfares leading to the San Román shipyard without the blessing of the old shortcuts. But such mundane problems were irrelevant as long as the ruling class felt safe and civil engineers had grander things to deal with.

Skipping ahead in our story, we come to the case of the fourth gate. In 1732, Governor Figueroa incurred the wrath of practically everyone in town by suggesting yet another modification to the ramparts. Following engineers' directions, he proceeded to seal off the gates joining the center with the two main barrios and opened a new one which he called the Puerta de Tierra, or Land Gate. The uproar was unanimous, but it took almost thirty years for Campeche's municipal government, weary of ever-mounting complaints, to once again open the San Ramón and Guadalupe gates. The decision was not so much in consideration of the indigenous population as of the business and religious sectors, worried about their depleted tills and collection boxes as they fell off the beaten track of townsfolk who inevitably converged along the street linking the Sea Gate to the Land Gate.

But let us get back to the rampart, precisely at the close of the seventeenth century, when the memory of spilled blood lent haste to some arduous work.

In merely a few years, by 1688 according to reports, work had progressed on six bastions and as many more curtains—the stretches of wall between the bastions—but money was quickly slipping through the municipal authorities' fingers. So the following year builders faced serious problems sustaining the rhythm set by collective fear. New contributions were needed to complete the protective shield, and the obligation now fell upon the Church, from the bishop on down to the monks, but also upon local guilds and even the councils of the other two Spanish settlements on the peninsula: Mérida and Valladolid. The influx of funds injected new life into the ongoing enterprise.

However much regional authorities boasted about the low cost of Campeche's fortifications, chiefly due to the availability of cheap indigenous labor and abundant supplies of stone and lime, funds again became scarce and a special tax had to be imposed—this time on salt, which enjoyed a large trade. A lintel bearing the date 1704 was placed over the gate of the Santiago bastion, leading scholars many years later to believe that it marked the date of the works' overall completion when in fact it was nothing more than the date the last bastion was finished. But there was much left to do as the curtains remained to be finished and the gates were still doorless. Campeche did not complete its second system of defense until 1710, when, after twenty-four years of constant efforts, its proud inhabitants waited safely behind its walls for the next freebooter raid. No one imagined that the final test would come much, much later.

■ Pirates in the City

Nonetheless, we cannot say the town's fortification was in vain. While work was still in progress other Caribbean villages came under attack by freebooters but Campeche's painful experience of 1685 was not to be repeated. The fact the town was not raided may well have been because the wall represented an obstacle outlaws preferred not to deal with. It took stealth rather than force to penetrate the city, and only one man ever pulled it off.

A freebooter of odd bearing was the only one to pass the perilous test of infiltrating what was probably the best guarded fortress of all the Gulf of Mexico. In awed tones, people called him Barbillas, on account of his trademark profusion of whiskers. His notoriety lay in his relentless scouring of the coast from the Términos Lagoon, where he sought refuge when necessary, to the very gates of Campeche. In 1708 he dared to go ashore at Lerma, a small port nearby defended by a single tower that was more symbolic than functional. The sacking and destruction that ensued were proof that piracy was not yet dead, despite the accords European powers were coming to at the time.

Emboldened by his victorious raid on the small port, Barbillas began combing Campeche's sound, capturing any boat that had the misfortune to cross his path. Among his ill-fated victims was the recently appointed provincial governor, Fernando Meneses Bravo de Saravia, whose ship had fallen into Barbillas's clutches. Upon realizing the identity of his prey, Barbillas asked for a ransom of 14 000 pesos, an astronomical sum which the new governor naturally did not carry on his person.

Even more incredible is how Meneses Bravo dealt with the affair, giving his word as a gentleman that the ransom would be paid in full and allowing his captor to dock and accompany him into the fortified city. The Campechanos' stupefaction must have been great indeed on observing such an eccentric congregation pass through the Sea Gate: a lord, richly attired as befitting a person of high birth, surrounded by a retinue of scoundrels. Meneses identified himself and convened a town council meeting, requesting permission for Barbillas to attend with the assurance he would not be harmed. The authorities were aghast: after so many struggles and so much blood, they seemed to have no choice but to let one of their bitterest enemies set foot in the heart of their city. After much clever and complex reasoning, they finally gave their approval, and the townsfolk—as always attentive to rumor—turned out in throngs to watch the unforgettable procession march past.

The meeting was perhaps the most controversial and certainly the most memorable in the town's long history: the governor asking that the agreed amount be given to the pirate in the face of local authorities' frank opposition to such an inconceivable idea, followed by a discussion in which everyone had their say, even Barbillas himself. The Campechanos' idea was to take advantage of the freebooter's helplessness to take him captive right then and there. They would use him as an example, forcing him to pay all his outstanding debts. However the governor remained inflexible: he had given his word of honor and was prepared to carry it to its ultimate consequences. In the end, Barbillas left Campeche with his money and his life, unaware of the key role he had played in this comedy of gentlemanliness and villainy that would provide a twist to the closing chapter of a horror story, a horror story that gave way to a series of legends peopled by sometimes idealized and more often caricatured figures who would be the imaginary inhabitants of the new fortifications.

■ The English Lion's Roar

The eighteenth century had just begun, and as with every turn of the century, hopes of progress ran high within the Spanish community. But the weight of the previous century's ventures bore down and had repercussions that would bring on radical changes in the permanently crisis-ridden Spanish empire.

And so, in 1701, the news spread from the dock to the main square and from there to the four winds: "the king is dead!" was the cry. Reactions varied: while some busied themselves with arrangements for the funeral ceremony that was to take place in the parish church, other more prescient folk wondered about the future of the motherland, its throne empty and heirless. In the months that followed there was even more confusing news: a Bourbon was to inherit the throne, a member of the court of Louis XIV, who apparently wished to have his French sun shine over all of the Americas. Then came dispatches mentioning the Habsburgs' disaccord, as they considered themselves the true heirs of the empire that covered practically half the world. War was the outcome everyone expected, and ships, like birds of ill-omen, did not tarry in bearing the bad tidings. Philip V, the French monarch's grandson, was the new king. It took time, but he eventually realized the differences between Versailles and El Escorial, between the splendor and excess of his childhood and the austerity and sobriety imposed by his new condition as sovereign of a waning nation.

In America in 1705, a port with half-finished fortifications received a Frenchman as the envoy of the new and harried king. He was a military engineer by the name of Bouchard de Becour, sent to reconnoiter Campeche's defensive situation. He inspected the ramparts, the great wonder of the land, and, before a crowd of flustered villagers, dared to judge that they were not of adequate thickness to withstand a conventional assault. The impudence of foreigners! The proud citizens of Campeche were offended and viewed this stranger's project with skepticism. The plans sent to Madrid proved beyond doubt, the engineer said to himself, that the work could be perfected, and had resources been a little less scarce, that Campeche could then flaunt its status as America's most modern fortress rather than as yet another town enclosed by a somewhat precarious dividing wall, as was the case at the time. In the end, weary of so much shortsightedness, Becour managed to escape New Spain and return to his beloved France, leaving his American dream unrealized.

But the new king, each day more acclimatized to his adoptive country, was aware of Spain's greatly reduced strength as opposed to the growing power of other European nations, especially that of its nemesis, England. This led him to conceive of new, more aggressive policies to win back part of his pilfered heritage, policies historians would call Revisionism. The orders reached Campeche in 1716: a campaign had to be launched against the stubborn Englishmen who had settled the Términos Lagoon as if it had been their own. Amidst the bustle of preparations, one Campechano man stood out who would change the region's history. Alonso de Andrade became a local hero when he managed to defeat the island's occupants and build in record time a wooden fort he named San Felipe in honor of his king. From then on, in spite of several violent attempts by the English to recapture the former pirate haven, the locus for unfair competition in the harvest of campeachy wood and the peninsula's distribution center for smuggled goods would have to be moved from the island of Nuestra Señora del Cármen and its former occupants transported to reinforce the occupation of another area in the vicinity of the peninsula, though no longer near Campeche nor key trade routes: the problematic territory south of the Walix River, or Belize as we now know it.

By 1720, after many accords and treaties, the world seemed to be able to live in peace. This mood was unfortunately short-lived as wars followed, though this time with few major consequences for the colonies. Nevertheless, the death of yet another heirless sovereign would bring on strife: Ferdinand VI bestowed the contested Spanish throne upon his brother Charles III, the king of the two Sicilies. By deciding to take part in what was later called the Seven Years' War, this enterprising monarch sealed the fate of two of the empire's most important cities: Havana and Manila.

News of the Cuban port's capture threw Campeche into a state of distress. Its panicked inhabitants imagined enemy banners out at sea and the echoes of far-off European cannons getting louder with each passing year. They dusted off their ancient crossbows, harshly scrubbed the thick coating of rust left on their swords by the muggy weather and worried over the damp gunpowder. Fortunately, a few months later the Bourbons had to admit defeat and sign a treaty by which they lost Florida and recognized British sovereignty over Walix, in exchange for the return of their two most important commercial ports.

The situation became extremely dangerous for Campeche and its province for, as the Brits themselves had insinuated, the strategy could not be simpler: now that they controlled Florida, were Yucatán to fall into their hands all they had to do was launch a few squadrons to patrol the route between the two peninsulas and thus put a halt to the exportation of Mexican silver from Veracruz to Havana for once and for all. There was nothing to be done but hope that Campeche could resist the attack of the British fleet, the most advanced naval force of its time. Governor Antonio de Oliver's report fell like a bucket of cold water on the unsuspecting Spanish cabinet: in their current state, Campeche's defensive capabilities were not to be relied upon. A change in strategy was necessary: new fortifications would have to be built where it was easiest for enemy ships to come ashore, where they could be repelled before they approached.

New redoubts and batteries were what Campeche mustered up against the English. This time Spanish authorities did not skimp on quality, and the growing city (it was granted the title in 1777) was provided with defenses to rival any others on American soil. They are still considered as such today, particularly its two redoubts, San José and San Miguel, not to dismiss its batteries, as they also played an essential role in fending off the feared mortal invasion which, after endless pleas and prayers, commissions and treaties, tricks and schemes, in fact never took place. As had been the case one hundred years before, the defenses of the proud city were left waiting for their much-praised resistance to be tested. That fateful day was yet to come.

Years of Struggle

Six times did the city have to resist the long-awaited test, though by then Campeche was no longer haunted by ghostly marauding hordes of pirates, romantic freebooters and rabid corsairs. The world had changed, but perhaps city dwellers would have been better off not desiring such a change, resulting in a war that would pit brothers and Mexicans against each other, fighting for different national projects, defending their ideals and motives, the country and the peninsula itself torn apart and agonizing at the gates of the peaceful city.

The first of a series of battles began in 1824 with what seemed like a playful siege, more like a celebration than a fight, when Campeche's peninsular neighbors sent the so-called Flying Column of the Union to defend former Spanish privileges in an already independent country. Then followed the siege of 1840 which earned the city its title of "Very Heroic and Liberal," when its walled core was bombarded for the first time and in which Pedro Sáinz de Baranda, among other notable figures, played a decisive role. The next attack came two years later when Campeche's archenemy Antonio López de Santa Anna and his troops from central Mexico laid a terrible siege against the city. The courageous Campechanos held their ground, and the ramparts the experts had deemed un-

LEFT: **Shrimp with coconut.** RIGHT: **Dogfish-stuffed chilies. La Pigua restaurant.**

sound resisted the wrath of the Centralist army for over a year and a half.

Besides actual sieges, the city experienced years of horror during the so-called Caste War, when masses of white and *mestizo* refugees cowered behind its walls after rebel Mayan groups took control of the District of Los Chenes, coming within fifteen kilometers of the port. Danger returned in 1857 when, responding to the District of Campeche's secession, Yucatecan forces stormed the city, systematically destroying its outlying zones. The walled inner city did withstand the strike however, and Campeche became a free and sovereign state. Later, in 1862, with revenge in their hearts, Yucatán's leaders based in Mérida deployed the battleships of their French allies against the city. Under threat of bombardment by Napoleon III's superior forces—one of the most intimidating war machines in Europe—the city surrendered, was occupied by the French and annexed to Maximilian's short-lived empire. Finally, in 1867, Campechano hero Pablo García recaptured the city and convinced federal authorities to recognize Campeche once more as an independent state separate from Yucatán. So, before such a seemingly endless parade of attacks, the ramparts, representing a stone monument to local pride, were finally able to play out their vital part in the great drama of war.

Furthermore, during almost fifty years of continual onslaughts, something essential did come out of the city's fortification: Campeche's freedom. If anything was gained from all the blood spilled in fraternal battles, it was Campechanos' sense of confidence in themselves, in their ideals and in the future, in the Federalist project their grandparents defended so dauntlessly in the nineteenth century. It is a unique heritage that must be conserved, protected by Campeche's eternal ramparts, a symbol of its resistance but also, above all, an allegory for its identity. *Translated by Richard Moszka.*

WARMTH ON THE PALATE

Forgotten Pleasures: Cuisine in the Mayan World

JOSÉ ENRIQUE ORTIZ LANZ

"They subsisted on tortillas, and almond pozol, and atol which is like gruel..." Relación de Titzal

Little is known about the cuisine of the ancient inhabitants of Campeche. Sources include information provided by chroniclers after the Spanish conquest, certain traditions that still survive in rural areas today and ongoing research by archaeologists and anthropologists who are increasingly aware of the importance of the history of everyday life. Using these meager tools we can acquire a faint idea of the dietary preferences of this great culture. A people capable of building architectural marvels such as the cities of Edzná and Calakmul, or of creating sophisticated designs and color schemes on ceramic and stone, must have had a highly developed gastronomic sense. Even so, we should not fall into the trap of imagining a past filled with happiness in which everyone was constantly well fed. On the contrary, the sources mentioned give evidence of the eternal human struggle to survive. They also tell of the men of ancient times, created from corn, who cyclically reproduced the gods' most important act of creation: the incorporation of the divine plant into their own substance.

Research by Mayan scholars has demonstrated that pre-Hispanic society was highly stratified. Aside from dress or living accommodations, food was one of the domains in which class differences must have been most marked. Any discussion of Mayan gastronomy should begin with the idea that eating habits varied widely. The humble classes, consisting of slaves, agricultural laborers and artisans, must have sustained themselves on a rather limited diet: corn and some vegetables with the occasional addition of meat on holidays or following a successful hunt. Fray Diego de Landa recorded that around the time of the arrival of the Spaniards, it was most common to eat two meals a day. First there was an early breakfast based on *atole*, a drink made of ground corn seasoned with chili. At work during the day they drank *pozol*, now known as *pozole*, that was very different to the hearty corn and pork soup by the same name that still exists today in Central Mexico. On their return home in the afternoon they would eat a meal while seated on the earth or on a small mat or *petate*. This meal was prepared with deer, poultry or fish when available, or when they were lacking —a frequent occurrence— with only vegetables and chili, accompanied by the ever-present tortilla. Landa also pointed out that they were subject to constant food shortages.

Chocolate deserves special mention. The pre-Hispanic beverage prepared with cacao was very different from our Westernized version, mixed with ground corn and chili to make *atole champurrado* (chocolate-flavored *atole*). This was a delicacy reserved for fiestas or banquets along with liquors. Bishop Landa narrates that there were two kinds of fiesta. The first, celebrated by rulers and nobles, obliged each dinner guest to later hold a similar festivity. During the banquet each was given a roast fowl, tortillas and chocolate to drink. Moreover the host had to present a series of gifts to every guest: a small bench to sit on, a cotton wrap and as fine a cup as he could afford. Thus the host was required to satisfy his guests' basic needs by making their stay as comfortable as possible. Curiously the debt contracted on attending such a banquet was hereditary, relatives being obliged to repay it in case of death.

The other kind of celebration was held on the occasion of a wedding or to honor the memory of ancestors. This gathering did not require any kind of recompense, but established a kind of tacit agreement to return the invitation on similar occasions. The friendships derived from this practice were long-lasting, and distance was no impediment in attending such ceremonies.

Returning to the theme of corn, the universal staple, we can assume that it was generally prepared in three forms: tortillas and their multiple derivatives such as tacos and "cakes" of layered tortillas covered with sauce; beverages, essentially the *pozol* and atole mentioned above; and lastly tamales, another basic dish that has survived to this day in all its variety and richness.

Bread from the Earth

Diego de Landa was the first chronicler to write about the diet of the Yucatán Peninsula, shortly after the arrival of the Spaniards. Many specialists agree that some dietary changes had likely occurred by this time, for example, during the Classic Period (AD 300–900), when the peninsular Maya made contact with other groups from central Mexico and the Gulf Coast. Archaeologists such as Peter Schmidt have noted the lack of *comales* (flat griddles for cooking tortillas) in site excavations of this period, an interesting fact that throws some doubt on the use of the tortilla and suggests it may have reached the peninsula during more recent

times. There remains the possibility that the *comal* was an imported device and that tortillas had previously been cooked on the surface of upturned clay pots. However this is a rather far-fetched explanation as it would be quite strange if no specific instrument had existed for the manufacture of tortillas, given that they were a staple then just as they are today.

During his stay on the peninsula, Landa noted that "they prepare bread [tortillas] in many good and healthful ways, except it is bad to eat it when cold; so the Indian women are kept busy making it twice a day."

From Molina Solís we learn that "this was the bread that they [the ancient Maya] called *sucuc-uah* and considered appropriate to eat with victuals. When this bread was a few days old and had become hard it was called *chuchul-uah* and was toasted, thus becoming tastier than hardtack. The driest bread that had gone moldy was also toasted and called *totoch-uah*. Combined with black beans, it was called *pich* or *muxub*;

ABOVE: **Shrimp with coconut. La Pigua restaurant.**

papak-tsul when accompanied by chili and bean broth; *tsuhbil-uah* when cooked under ashes; and *chepe* when made with new corn."

Feeding the Gods

One of the most fascinating corn products from the Yucatán Peninsula are the so-called *panes* (breads) which are really cakes made of layers of tortillas separated by various ingredients, usually consisting of squash seeds or black beans.

These *panes*' ancient function remains part of modern-day rural life as Maya continue to employ them as a component of agricultural rites. Thus the *kan lahu tas wah* is a kind of ceremonial cake made from large corn tortillas used as an offering at the end of the dry season, just before the arrival of the long-awaited rains, and the *ch'achaak* is a fundamental part of the ritual practices associated with corn fields to bring on rain. A similar word, *kanlahun tas wah*, refers to another cake cooked below ground and composed of fourteen corn tortillas separated by layers of moistened ground squash seeds, black beans and other vegetable ingredients.

Alfonso Villa Rojas, a distinguished Mayan scholar active during the early years of this century, has left a vivid description of the offerings made to the ancient gods. These dishes were prepared with tremendous care, inside a church whenever possible. The preferred meat was that of forest-dwelling animals which, according to ancient Mayan tradition, were raised by the supernatural guardians of the woods; only men participated in their final preparation.The meat for these supernatural meals was and is still cooked in a thick broth called *kol* prepared with maize dough seasoned with annatto, pepper, cloves, oregano, garlic and salt. Maize cakes called *nabal-wah* are crumbled into the broth, resulting in a mixture called *sopas* in Spanish which is only eaten in pagan ceremonies. The meat is served separately in clay dishes or dried gourd shells.

This meal is always accompanied by bread of a particular shape and character, prepared with maize dough (*sakan*) and ground squash seeds (*sikil*), and then wrapped in fan-palm leaves and cooked in an oven known as a *pib* set into the earth. These breads are divided into four categories according to their importance and method of manufacture.

The *noh-wah* or "great bread" is prepared by making four cakes, the first composed of thirteen tortillas, and the remainder of nine, eight and seven tortillas each. A thin layer of ground squash seed is spread between the tortillas. Finally a cross is pressed into the uppermost layer and surrounded by a circle of depressions dubbed "the eyes of the bread" (*u-yich-wah*). The *yal-wah* or "divided bread," a random quantity of which is made, is prepared with six tortilla layers, also has "eyes" but lacks the central cross. The seven *tuti-wah* or *noox-wah* that round out the offering are small and comprised of a rolled tortilla with a *sikil* filling. The last to be prepared is the *nabal-wah*; it is the largest in size and is made with less care, using up all the remaining *sakan* and *sikil*.

Worldly Pleasures: Regional Delicacies

For some readers, the preceding descriptions may have summoned up memories of the famed *pan de cazón*, a dish that has practically become an archetype of the cuisine of Campeche. Its preparation begins with several tortillas opened the moment they puff up on the *comal* and stuffed with sieved black beans. Each tortilla is dipped in tomato sauce fried with *habanero* chilies and then layered to form a kind of cake like those described above, placing between each layer a little shredded dogfish (*cazón*). Generally the dish consists of three or four layers, though this can vary according to one's taste and appetite. As final touches a little more sauce is poured over the *pan de cazón* and it is crowned with an *habanero* chili saved from the preparation of the tomato sauce.

Though the similarity is merely formal, as *pan de cazón* is prepared on a *comal* while the ritual cakes are baked in underground ovens (*pib*), there is no doubt that this dish is yet another legacy of ancient Mayan culture. And in no other area of the peninsula does one hear of a *pan de carne* (made with meat) or *pan de frijoles* (made with beans). These gems of Campechano cooking are unique and direct descendants of the pre-Hispanic world.

The only exception I have come across is an unusual dish from Hecelchakán, midway between Campeche and Mérida along the ancient colonial road. During the 1950s and 1960s, according to my mother, the chef Antonio Amigo would cook *pan de pepita* by special order. The procedure was as follows: he would lay the tortilla on the comal and when the dough puffed up, spread *sikil* paste inside the pocket. Then, using two slotted spoons, the stuffed tortilla would be dipped in tomato sauce. It was served immediately, in the exact amount ordered. This is most certainly one of the oldest preparation methods for regional appetizers.

Another great regional dish is the *papadzul* (originally *papak'sul*, according to the *Diccionario Maya*), a *pan* made with beans and chilies. The distinguished historian Molina Solís ratifies this definition, but today it refers to a dish characterized by a filling of hard-boiled eggs and a squash-seed sauce. Many celebrated researchers in Mexican cuisine have declared this to be one of the best dishes in the country, offering a rich and varied flavor combined with superb preparation. Diana Kennedy's translation of *papadzul* is "food for the lords," adding that "when well made, they have a flavor that is as fascinating as their appearance. The rolled tortilla dipped in a pale green salsa, the rich red of the tomato sauce, and the pools of green oil extracted from the squash seeds form brilliant patches of color and flavor. *Papadzules* could easily take pride of place in any exhibition of international gastronomy."

The origin of this dish's name has long been the subject of debate, but it should be recalled that the oldest name so far reported is *papaksul*. *Sul* refers to the act of steeping or dipping, a more logical etymology than *ts'u*—"foreigner," "outsider" or even "Spaniard"—as some authors would have it. Many doubts still exist over the first segment of the word; it could refer to *pa'pa'ah*, translated as the act of repeatedly crushing many things—in this case, likely the squash seeds that go into the sauce.

A similar word, *papanegro*, may help to elucidate the problem. It is the name of a comparable dish almost exclusive to Campeche and now almost totally forgotten. This hybrid term (*negro* being Spanish for black) refers to a preparation in which the tortilla is stuffed with egg, as with the *papadzul*, but then covered with a very mild sieved black bean sauce. Like the *papadzul*, it is topped with a red tomato sauce that contrasts with the dark color of the beans.

The Humble Panucho and a Thousand Other Variations on Maize

Any catalog of the myriad ways to prepare tortillas should always include the humble *panucho*, whose name would seem to imply a bread product deserving of scorn but which instead is the king of the evening snack in Campeche and the perfect accompaniment to turkey soup.

CENTER: **Fruit pastes.** TO EITHER SIDE: **Building housing the Municipal Archives.**

A hot, puffed tortilla is sliced in two and the pocket spread with sieved black beans. The filled tortilla is subsequently fried in hot oil and finally topped with turkey or chicken meat, lettuce, onions, tomatoes and pickled cabbage. The *panuchos* eaten in the city of Campeche uses a filling of bean paste and dogfish that has been first grilled and then fried. Of course many more variants exist such as the *panucho* made with *cochinita pibil* (Yucatecan barbecued pig) or the delicious prawn *panucho* from Champotón.

The age-old differences between Campeche and Mérida surface once more when attempting to determine the names of these regional dishes. What are called *panuchos* in Campeche, in Mérida are called *salbutes*, a term derived from the Mayan word *salbut'* which in ancient times designated a corn tortilla made with salt and lard and filled with minced meat, cooked on a *comal*. To add to the confusion, a *panucho* to the Yucatecans is described by Campechanos in more folkloric terms as a *sincronizado*. This consists of a toasted tortilla covered with chopped cabbage or lettuce, poultry (generally chicken or turkey), marinated onions and tomato slices.

José Buenfil Burgos, a custodian of Campechano tradition, provides a lead as to the origin of this odd name. In the 1930s, the Toro Movie Theater began showing talkies in its spacious hall. It was the responsibility of the projectionist not only to ensure that the film did not slip off the reels or burst into flames from the heat, but also to pay special attention to keeping the soundtrack synchronized with the image if he wanted to avoid being the butt of derisive whistling. Thus the shows acquired the name *sincronizados* and the word caught on instantly all over Campeche. After the movie, almost as a complement to the show, it was customary to stroll over to the plaza of San Martín for a bite to eat. Luis Felipe "Fillo" Zubieta—another collector of local anecdotes—clarifies that it was Manuel Lavadores who brought the recipe in question from Yucatán. His wife Elia would help him set up a table by the plaza's arcade, cover it with a spotless white cloth, shred the roasted turkey meat and mix it with *recaudo colorado*, a tomato-based sauce, that would be used to top an exotic delicacy—which was none other than what we now know as a *sincronizado*. The latest addition to Campeche's local fare was a roaring success, allowing Lavadores to set up a more permanent stand sheltered from the pouring rains beneath the roofed arcade. In 1950, following his death, Elia was forced to sell the business to another famous Campechano chef: "El Venado" Casanova who, armed with his charcoal grill and a few tables, fed the countless hungry movie-goers that continued to pack the Toro Theater.

Francisco Puga was someone else who significantly contributed to resurrecting flavors of the past. From his small food stand in the main plaza, he managed to introduce a few novelties into Campeche's culinary panorama. For instance, he would place a tortilla hot off the *comal* beneath each *sincronizado*, both as an edible napkin and to avert unfortunate accidents that could stain men's white cotton shirts and women's delicately embroidered blouses. But the creation Campechanos remember most fondly is a sauce of radishes and onion with a subtle touch of pork cracklings, used to garnish chicken *panuchos* and *sincronizados*. Midway through the twentieth century, Puga—better known as Don Pancho—moved his business over to Juan Carbó Plaza on Calle 8, across from the old market, where, in the end, he became even more renowned for his ice-cream.

To conclude our tour, we must head over to another of Campeche's famed barrios: San Román, home to the region's most important religious festivals and where yet another local culinary artist made history—Luis Canaval, the *panucho* king of this district, whose small diner bore his last name. During the celebrations of the venerated image of the Black Christ, housed in the parish church on the other side of the park, the faithful would end their prayers with a rosary of *panuchos*. There are still those who recall the contests to determine who could eat more of the tasty morsels—up to sixteen or twenty, some say—, and also Canaval's unforgettable *tamales torteados*.

The *panuchos*, *sincronizados* and *salbutes* of Campeche, Mérida or anywhere else on the Yucatán Peninsula have been an obligatory point of reference for decades, and no visit is complete without sampling these local specialties. The Barrio de San Francisco de Campeche offers the most traditional experience, and its plaza continues to be visited by famished Campechanos in search of a restorative plate of *panuchos*. The plethora of eating places in this area can be traced to the plaza's erstwhile function as a gathering place for drovers, teamsters and other carriers who would distribute throughout the peninsula the merchandise received at the port. Fillo Zubieta specifies that Celso Cervera was the first to set up a wooden booth beneath the arches encircling the plaza, and was greeted with such a favorable response that San Francisco eventually became a required stop on many Campechanos' evening agenda. Following the death of her parents, Celso's daughter Conchita (whose name now graces a stand in San Martín) sold the business to its current owners, the Medina family, who have kept the tradition alive and strong.

It is important to make a distinction here, between the *tostadas* of the peninsula—dry tortillas toasted to a golden-brown on a grill or *comal* over low heat, flipping them frequently to ensure an even color—and the Campechano *sincronizados* or Yucatecan *panuchos* which are fried in very hot oil until they acquire their characteristic crunchy texture.

Earlier in the day, one can always find *codzitos* on cantina tables, the virtually inseparable companions to beer. Doing justice to their Mayan origin—the name being derived from the verb *cots'* meaning "to roll up like a *petate*"—they consist of deep-fried rolled tortillas bathed in a fried tomato sauce and topped with cheese, either the white cheese of Tabasco or with Dutch Gouda, the latter version being especially tasty. Stuffing in this case may seem excessive, but there is always the option of adding a *picadillo de carne* (seasoned ground meat).

Though less frequent, there are also various forms of *gorditas*, a thicker variety of tortilla. These include *pimes* made with lard and pieces of fried fat; *pemoles* with beans that have been boiled, mashed, fried and finally dried in the sun; and *tortas* of whole cooked beans.

Dishes based on tortillas are practically countless on the peninsula. Suffice it to mention tacos with their universe of fillings; *quesadillas* containing anything from cheese and sugar to elaborate *picadillos*; the traditional *arepas*, a kind of biscuit made with corn flour and lard; the *is-wah* of ground young corn kernels, sugar, salt and lard; or the red *tostadas* known as *chakop*. With these dishes alone one could fill another chapter on the rich gastronomy of Campeche, proud heir to its Mayan and *mestizo* past.

■ LIQUID SUSTENANCE

From the earliest days of the Conquest, Spanish chronicles continually emphasized the use of beverages as a source of energy during hours of hard labor in the fields. Thus: "there is a beverage made from bread [i.e. from corn] called *atol*, or *za* (*sa'*) in the language of this land. It is similar to gruel [...] and on top they sprinkle a little chili pepper which is called *yc* (*ik*) in this land. When they go to work they take a gourd filled with this libation, and with it, sustain themselves the entire day until they return home. When they travel they take a lump of cooked maize that has been ground and made into dough and crumble it into water which they carry in a *luch* [gourd] such as those they always have with them, and drink it and with this they can sustain themselves for three or four days without eating anything else" (from the *Relación de Dzonot*).

Generally speaking there were three methods of preparing these drinks. The simplest, known as *zaca* (*saka'*) or *atol* in Náhuatl, consisted of maize cooked in water and was drunk cold as a refreshment late in the day. Cacao was sometimes added, though Redfield and Villa Rojas maintain that the concoction did not feature in the daily diet, but rather, was the means by which corn was symbolically offered to gods and spirits.

In contrast, the dough for *pozol* (*k'eyen* in Maya) was prepared using the same method as for tortilla dough except that the kernels were washed when half-cooked and placed in clean water to boil until tender. Workers would take this dough with them to the fields, where they would mix it with water. This dough was also the travelers' staple, rarely consumed at home. To make it more aromatic and provide a light touch of citrus, Seville orange leaves were sometimes added to the second boiling, a clearly *mestizo* custom.

Atole (*sa'*) is prepared—like tortillas—with maize boiled with lime and then made into a dough, placed in hot water and left to cook approximately fifteen minutes, finally adding salt and occasionally honey or sugar. *Atole* was once very popular, but its consumption in urban areas has declined with the appearence of new beverages.

Noteworthy among the *atoles* of the Yucatán Peninsula is *tanchucuá (tan chukwa')*, the typical accompaniment for *pibipollos* or *mucbilpollos* and the traditional offering for Day of the Dead altars. The dough, preferably made from young corn, is dissolved in water, adding chocolate whisked in hot water. The mixture is sweetened and cooked again with a little Tabasco chili and anise, stirring constantly until it thickens slightly.

Sour atole also requires freshly harvested corn and is prepared by dissolving the dough in cold water, then adding hot water and leaving it to sit overnight while the dough settles; the excess water is drained off the next day. The drink is then made by slowly pouring the diluted and strained dough into a container of boiling water and adding sugar. The water that was drained off earlier is gradually added until the desired sourness is achieved. Another variant calls for the *atole* to be cooked after draining off the water, adding milk when done and checking the sweetness before placing it back on the heat, without letting it reach the boiling point.

The recipes for *atole* are numerous: *atole nuevo* (new *atole*), *atole* made with squash seeds, sweet potatoes, pineapple and *pinol* (charred corn flour), all attest to a tradition that is still very much alive. With the Spanish Conquest, it underwent modifications with the introduction of new crops, principally rice.This grain's popularity continues to rise today as it is available in many fruit-flavored packaged mixes.

■ Tamales: Regional Jewels

Few dishes can boast of the kind of enduring love affair that tamales have had with Campechanos' palates. Their variety and adaptability have allowed them to survive the great technological changes and evolving customs that have affected Campeche's urban areas in the latter half of the twentieth century.

Tamales are as old as Mesoamerican civilization itself: pre-Hispanic ceramics and murals depict them as an ever-present offering to gods and rulers. Though currently designated by a Náhuatl word from central Mexico (*tamalli*), their pervasiveness and importance in the Mayan world reveal beyond the shadow of a doubt that tamales were one of the preferred foods in the region that now forms the southwest of Mexico.

Throughout the Yucatán Peninsula, all tamales have a common base: the dough is similar to tortilla dough, only more finely ground. Salt and lard are added, along with other ingredients such as cooked beans or their broth, annatto, chili peppers, *chaya*, tomato, anise and the herb *epazote*, essential ingredients for the rich variety of tamales, *vaporcitos*, *chachacuahes*, *holoches* or *joroches* and *brazos* produced in the region.

Both tamales and *vaporcitos* are usually flat, the difference being that the former may be larger in size. *Holoches* are either spherical or cylindrical and take their name from the Mayan word *holo'ch*, which is a dish consisting of

balls of dough, shaped like the tamales wrapped in corn husks, cooked in a bean broth. In the city of Campeche, holoches are filled with dogfish or *picadillo de carne* and served on their own or in a sauce of beans or *chile de color*. Interestingly, many cookbooks describe *chachacuahes* as being filled only with deer meat, providing an idea of the dish's antiquity. According to some writers, this was the name given to tamales used in offerings to the souls of the deceased, the equivalent of the modern-day *pibipollo* or *mucbilpollo*. Historian Molina Solís goes even further, stating that *chachak wah* was the ancient Mayan term for tamales in general and that the Aztec word *tamalli* was only adopted after the Spanish Conquest. The Spanish influence also had an impact on the ingredients, hence the inclusion of Castilian pepper, garlic, Seville oranges and pork lard, though it is easy to imagine the latter being substituted by the fat of regional mammals such as the *haleb*, *wech*, *kitam*, manatee or turkey.

In general, *tamales en brazo* are modified versions of the smaller varieties. This is also the case of the *sotobichay*, a type of tamale with the chopped leaves of the *chaya* shrub (*Cnidoscolus aconitifolius*)—a local plant whose foliage has a spinach-like flavor—incorporated into the dough. This dough is then shaped into the *brazo* or *ts'o tobil chay*, sometimes known as *brazo de indio* (Indian arm), is filled with chopped hard-boiled egg and wrapped in whole chaya and banana leaves to be baked. The *tamalitos de chaya* (*ts'otob chay*), on the other hand, are made with plain corn dough, the chaya leaves being used only for wrapping. The *sotobichay* is served covered in tomato sauce and garnished with ground squash seeds as an extra touch. This is a highly original dish, with a delicate flavor and a striking appearance produced by the contrast between the green-and-white dough and the red sauce.

Cooking methods have undergone numerous changes since the original technique of steaming tamales in tightly covered clay pots fitted with wooden steaming racks. This system is very similar to that of aluminum steamers now in use, the key to it being that only steam enter into contact with the tamales as water hardens them, causing them to lose their characteristic softness and light texture. A little salt and a few sprigs of *epazote* may be added to the water. Cooking time ranges from an hour and a half to two hours to achieve the desired tenderness.

Another system, known on the peninsula as *pib* and in the rest of Mesoamerica and the Caribbean as *barbacoa*, involves cooking food underground. One author has ventured to suggest that the *pibipollos* must have been introduced by the Spanish after learning the technique in Lima, because of the use of banana leaves in their preparation. This theory is easily refuted as this is not the only alternative for wrapping tamales. For example, the local fan palm we mentioned acts as a substitute even today in some very isolated communities. What is more, the *pib* was documented as a cooking method from very early times.

On the Yucatán Peninsula, Montes de Oca tells us that in his time the pib was started by digging "a rectangular hole, not too deep, large enough to contain all the *mucbilpollos*. The bottom was lined with stones the size of large oranges, covering them with firewood and lighting it. Once the wood had formed coals or embers to heat the stones, they would set tin plates atop them. The plates were in fact large tin trays akin to bread molds with raised sides, with lids to cover the *mucbilpollos* (to avoid damaging them). They then spread oak branches over the top and covered everything with earth. I am not quite sure how long they were left there, but I think it was three to four hours. When they were ready to be eaten they were dug up, emerging nicely cooked, clean, and with an exquisite smoky taste utterly unlike those baked in an oven."

Unfortunately this elaborate system—the source of the *pibipollo*'s unique flavor—is on the wane. First the Spanish wood-burning bread oven and then gas and electric ovens took the place of traditional methods that are virtually incompatible with modern-day lifestyles and the urban environment, with its shrinking spaces where a *pib* might be dug. However, baking in an oven causes the dough to harden and if not properly controlled, can sear the tamale and make it lose its characteristic lightly toasted outside and soft inside.

The variety of tamale fillings available on the peninsula is such that one could easily eat a different kind every day for four or five months. Pork tamales include the *tamalitos de Ticul*, the ancestral pork and squash-seed tamales, and the traditional *pan de merienda* or *tamal de espelón*. Combining pork and poultry are the *pibipollo* and *mucbilpollo*, the delicious *tamales colados de gallina*, wedding tamales and the *orientales* to name just a few. Others are filled with fish or reptile meat, such as the southern garfish tamale and, typical to Campeche, dogfish and pompano tamales. There are some holdovers from the past containing game, such as the *chachacuahes*, and finally vegetable tamales, ubiquitous during Lent, such as the *chaya* tamale described above, fresh corn tamales, the Spanish-Mexican hybrid made with bread crumbs and the delightful *mulatitos*.

Despite its name, the *tamal de platón* has none of the characteristics of a true tamale. The dough is placed in a pot over direct heat instead of being wrapped in a leaf and steamed. Once cooked, it is left on a plate until it sets and then served with a sweet beef *picadillo*, sliced boiled eggs and hot tomato sauce. Its presentation recalls certain dishes based on Italian polenta, of which it is surely a predecessor.

Another savory treat that does not fall into any of the above categories but which is undoubtedly also a relic of Mayan cuisine is the ancient *chulibul*, made with young beans harvested during October and November and cooked with *epazote* and salt. Corn cakes such as those used for *atole*—but not the sour kind—are dissolved in a small amount of water and strained. Finally this batter is cooked with the beans and a little lard until it thickens. It is served sprinkled with ground squash seeds and chili pepper. This traditional dish reunites the four basic crops cultivated in the region—corn, beans, squash and chile—and thus celebrates the bounties of a successful harvest.

This is but a brief review of the numerous uses of corn on the Yucatán Peninsula. It does however provide us with some idea of the vast culinary creativity of the Maya and their descendants, and of the cosmological and divine importance of this plant which represents humanity's eternal struggle to recapture one of its most sacred aspects—its connection to the natural world. *Translated by Jessica Johnson and Michelle Suderman.*

ANCIENT WARMTH

The Pyramid and the Bird: Edzná and Calakmul

DOMINIQUE DUFÉTEL

As progress has been made in the field of Mesoamerican studies, a great paradox has arisen which might well be the most significant result of the enormous amount of work undertaken so far in exploring, discovering, deciphering and interpreting evidence of the past. Amid an ever-growing accumulation of archaeological, historical and epigraphic information, certain general trends have emerged, indicating that ancient Mexico was a cultural whole whose parts were much more closely connected in form and meaning than had previously been thought, if we disregard the wide range of regional adaptations. And so it seems that one fundamental archetype in the imaginary of both the Mexican Plateau and the Mayan area was "the place of reeds"—*tollan* in Náhuatl and *puh* in Mayan. This place was a cardinal point associated with the mountain of the snake (Coatépetl) and the World Tree (*axis mundi*, the center of the universe) and was the model for ancient cities as a reflection or reenactment of the myth of origin, the blueprint for countless urban centers. Its basic layout consisted of a vast plaza representing the primordial pond sown with rushes from which emerged the world and the gods. Next to it stood a pyramid symbolizing the sacred mountain of the snake, the chosen land, humankind's source of sustenance. Moreover, in establishing their capital, some ancient peoples went so far as to seek Coatepec, the true (that is to say mythical) place of reeds, so as to ground their urban plan on the most solid evidence they could find. Such was the case of Tenochtitlán, and such was the case of the city of Edzná in the present-day state of Campeche.

The warm valley of Edzná, dripping in moisture from the rainy season's annual floods, is a perfect representation of the legendary place of reeds, even recalling the probable birthplace of the archetype: the marshlands of the Olmecs, where cacao and rubber trees abound. A network of canals, profluent and teeming with fish year-round, channeled the run-off from the damp ground to allow for intensive agriculture on raised fields and man-made island gardens, and canoes loaded with the products of human labor glided effortlessly over the water flowing into a lagoon with reinforced banks... this edenic vision of Tenochtitlán is perfectly applicable to Edzná. And in the middle of this impeccably controlled amphibious space arises the great pyramid—the sacred mountain—and its companion buildings.

Discovered by accident in 1906, the great pyramid of Edzná and its peculiar silhouette have become the city of Campeche's emblem. It recalls, or rather prefigures, the Puuc-style palace of Sayil located further north on the Yucatán Peninsula. Like the palace, the Edzná pyramid features a tiered design with recessed alcoves backing onto the solid core in such a way that the roof of one level constitutes the terrace of the one above. The overall appearance of its facade is much more sober than that of Sayil. Here what stands out is the regularity of the perfectly hewn and assembled white stone blocks and the geometric play of the dark portals—progressively fewer in number on each successive platform—imposing an ascending rhythm of light and shadow the Sayil palace lacks, having opted instead for horizontality.

Nevertheless, the convex-shaft columns with square capitals that segment the entrances to the two chambers on the fourth platform of the Edzná pyramid foreshadow the columns at Sayil and introduce a distinct stylistic note. At the summit stands a hulking temple with three bays, like those of the Petén, topped by a tall roof comb—a refined detail of Classic-period Mayan architecture that accentuates the feeling of height, perhaps in homage to the buildings at Tikal and X'pukil, though it does not copy their frenzied decoration. The monumental staircase that begins in the plaza, cutting through the platforms to ascend in a single uninterrupted stretch to the crowning temple adds to the sense of loftiness.

Thus even the forms contained in this emblematic construction—at once pyramid, palace and temple, combining exterior and interior architectural design and incorporating the concepts of the hollow mountain that provides sustenance and the World Tree—point not only to its stylistic influences but to the city's political allegiances throughout its history: as an ally of Tikal to the south during the first centuries of its life, and later, in the Late Classic period, subject to the rule of Uxmal, its northern peninsular neighbor.

Calakmul in southwestern Campeche is also a "place of reeds," though in a different sense. Its nearby water supply and seasonal flood plains, along with the region's warm climate, favored the formation of a complex and diversified ecosystem, today considered a "biosphere reserve." Two tall pyramids whose pinnacles rise above the forest canopy inspired Lundell, who discovered them in 1931, to name the site Calakmul or "Twin Mountains." In their own right, these structures hint at the site's importance. But if we bear in mind that the complex of pyramids, temples and palaces covers an area of over eighty-six hectares, we will begin to grasp the true scope of this great metropolis that was largely unknown until recent times. A hundred or so stelae litter the plazas like so many World Trees. These, like the Mayan monarchs themselves, performed the function of encouraging the flow of heavenly and earthly forces, and attest to the obsession of powerful men with leaving proof of their passing through this world. Unfortunately most of the stelae's carved reliefs are illegible. British epigraphist Simon Martin has stated that "studying the inscriptions of Calakmul is like peering through thick fog." Nevertheless, by tracking the recurrent image of the snake's-head glyph—Calakmul's emblem—on Mayan reliefs, paintings and ceramics from different times and places, Martin and other scholars reached the conclusion that Calakmul was, from the beginning of the Classic period and especially in the Late Classic (AD 600–900), one of the ancient "superpowers" like Tikal or Palenque that aspired to control the Mayan world. However, looking at Calakmul's remains, we are struck by the aesthetic poverty of its urban landscape when compared to either of those two sites, something quite puzzling for a metropolis of such importance. The sight of its ruins leaves us only with the crushing impression of a defensive mass of stone similar to the military architecture of Xochicalco, even without taking into account the pyramid of Quetzalcóatl. Did Calakmul, in its dying moments, suffer the consequences of its own constant belligerence? Did its final enemy leave nothing behind but the giant's hulking skeleton? Why then did a similar fate not befall Tikal? Sylvanus Morley, who explored the site at a time when Classic Mayan politics were still a great enigma, considered that Calakmul had opted for strength over beauty. To find evidence of Calakmul's importance as a city that could shelter the most talented artists of its time, we must turn our attention to examples of its lapidary or ceramic arts—especially polychrome ceramics—discovered in its royal tombs.

In this context of hidden elegance a recurrent motif stands out: the stylized depiction of the king vulture, a bird whose attributes appear to denote power. It is featured on a three-legged pot that bears a clear Teotihuacan influence: its modeled head forms the pot cover's handle and its three disproportionately large talons are the ritual containers' legs. This bird of prey's powerful claws, large hooked beak and glowering eyes are symbols of the ruler's strength, and the characteristic fleshy outgrowth on its beak even recalls the nose ornaments of Mayan nobles. Another three-legged pot from Calakmul, made of dark clay, bears a modeled figure whose helmet is shaped like a king vulture's head. A monochrome ceramic vase bears the representation of this same bird outlined against an ocher background, but it has the head of a ruler of Calakmul drawn in profile, as if divinity lay in the symbiosis of human and animal shapes. Indeed, in Mayan writing, the glyph of a king vulture's head also means "day" and "ruler." In fact, what we seem to be dealing with here is the Principal Bird or Celestial Bird deity that from an early epoch was related in writing and iconography to certain royal lineages. This god resided at the apex of the World Tree, the *axis mundi*, and even at that early date, displayed certain ophidian characteristics, prefiguring yet another great alliance of emblems, an archetype that would prevail throughout Mesoamerican history: that of the bird and the snake. ▲ *Translated by Richard Moszka.*

Campeche's Lotería: Ninety Worlds

SANDRA LUNA

"*Bolazo*, over here!" The evening is getting off to a good start. The reason? At Romanita Medina's house, the player lucky enough to have a *bolazo*—a *lotería* card with the first figure called in the center square—will be the recipient of a special prize: a succulent marinated chicken sandwich. Comfortably installed at the tables scattered around the patio and interior of this large residence in the Barrio de San Francisco, some thirty enthusiastic women intently await the call of fortune. Bursting with glee and playfulness, they make a colorful picture postcard of the matriarchy of luck.

True, there is a fairly respectable male contingent among the forty-odd players, including the host, José del Carmen Casanova, but the women are the ones who call the *bolada*—the randomly drawn numbers with corresponding images that appear on the *lotería* cards. Sometimes they do it without ceremony: "Eighty-eight, long legs" upon which some players mark—with buttons, beans, stones or even sequins—the long-legged flamingo. Sometimes the caller poses a riddle: "the one that smells sweet." Many guess that it is seventy-three, the rose. But someone at the far end of the patio supposes it is eighty-three, the crane, and is loudly informed, "The one that smells sweet, not the one with a beak!" The hostess—who keeps the brown eggs usually awarded as prizes under her table—settles any dispute that may arise. And the fun continues...

Credit for the invention of Campeche's lotería is claimed by two individuals: tobacco magnate José María Evia—who gave away picture cards in packs of cigarettes—and Guadalupe Hernández, a silversmith from Tabasco who set up lotería outlets at city fairs, in particular the one at San Román. A favorite pastime of Campechanos since the last decade of the nineteenth century, the lotería is played on patron saints' feast days as well as two or three times per week in various houses in neighborhoods like Santa Ana, San Román and San Francisco. There are ninety different figures in total, each playing card bearing twenty-five, and the game is won by lining up five figures in any of fourteen different ways: diagonally, in an L- or V-shape, a large or small cross, and so forth.

Inexpert newcomers are hard put to keep up with their eight allotted cards, but the regulars at Doña Ramonita's, who on more than one occasion have extended the session until three in the morning, follow the game with an expert hand and the conversation with ready wit, ignoring the suffocating heat that has also joined in the fray though it is already close to midnight. It is never too late to learn this singular game and one way to do it is to walk along the Malecón reciting, as Ongay Reyes suggests, "*One* fine hammer pounding on *two* doves eating *three* ripe pineapples while *four* parrots fight over *five* cages for *six* hens..." ▲ *Translated by Michelle Suderman.*

LAS IMÁGENES CUENTAN Y CUENTAN
Jaime Cuadriello

DISERTACIÓN ENTRE LO CONSTANTE
Y LO EFÍMERO
Teresa Olabuenaga

MONSTRUO DE PAPEL

ALEBRIJE

SUPLEMENTO DE *ARTES DE MÉXICO* · 1999

ROSA LUZ MARROQUÍN:
TERRITORIOS DE MEMORIA Y OLVIDO
Gabriela Olmos

CALENDARIO DE EXPOSICIONES

OTROS OJOS PARA VER
Glenn Gallardo

Las imágenes CUENTAN Y CUENTAN

Jaime Cuadriello

Conformada según un doble criterio genérico e iconográfico, la muestra "El origen del reino de la Nueva España, 1680-1750" (primera de la serie Los pinceles de la historia) no sólo busca poner en valor un conjunto de piezas de enorme contenido documental, sino que, al conceptualizarlas en un espacio museológico, pretende inquirir sobre el origen literario e historiográfico de sus temas, de sus peculiares formas de patrocinio y de la recepción que tenían estas tablas o telas entre el público de su tiempo. Para ello ha sido menester matizar las circunstancias cambiantes en que surgen estos cuadros como espejos del sujeto histórico, lo que implica "leerlas" según su producción y asimilación entre las sociedades criolla, mestiza e indígena, las cuales, según fuera el caso, promovían este tipo de representaciones con finalidades especificas o coyunturales: adoctrinamiento, celebración del pacto colonial, demandas políticas y legales, rescate de la memoria para fines ulteriores o mero coleccionismo transmarítimo.

En otras palabras, en los tres núcleos temáticos que integran el discurso del guión, el visitante podrá situar en su preciso contexto social, cultural y político todas estas imágenes de suyo portadoras de una fuerte carga ideológica y configuradas mediante algunas elaboraciones iconográficas meramente novohispanas pero que, desde luego, también incluyen la consideración de sus agentes externos —las inevitables influencias y contrapuntos— y los modos de representación del propio grabado y la pintura europea de género semejante. Hay, pues, dos ejes conceptuales a través de los cuales se han buscado y seleccionado las obras con las que finalmente se realizó la propuesta del guión: uno estrictamente genérico y otro propiamente iconográfico.

Alrededor de 160 obras —de las cuales más de 60 salen por primera vez a la luz, gracias a una labor de búsqueda y restauración de cuatro años— conforman las tres etapas de la muestra: La empresa de la conquista y las armas del reino, Una iglesia indiana y Tierra de prodigios. La mayoría de las elaboraciones iconográficas allí expuestas pertenecen al género conocido como "pintura de historia", pues manejan en su composición los elementos de tiempo, acción y lugar semejantes a los de la dramaturgia; es decir, evocan una escena que se desarrolla en un momento y un lugar determinados. Uno de los requisitos de este género, inaugurado desde el Renacimiento, era que las figuras humanas tenían que ser plasmadas al ta-

José de la Mota.
Alegoría del Nuevo Mundo.
Siglo XVIII. Óleo sobre tela.
160 x 210 cm.

Portada:
Detalles.

maño natural, convencionalismo que respondía a la necesidad de representar los episodios narrados con tanto realismo y ejemplaridad como fuera posible . Aun cuando los cuadros de historia quieren establecer un vínculo con la realidad, estas representaciones de las campañas militares de Cortés, las labores de evangelización y de los prodigios mariofánicos que sacralizaban el territorio, son producto de una ficción, de la idea que tenían en el periodo barroco los criollos y la nobleza indígena acerca de su pasado "fundacional". En suma, servían de alegato para defender su posición de "cofundadores del reino". En la senda de la construcción del Nuevo Mundo caminaron no sólo quienes habían dominado por la fuerza de las armas, sino todos aquellos que asumieron el inevitable mandato del destino. La continuidad y la permanencia de estos grupos dentro de la comunidad dependían de la recuperación, idealización y glorificación de su pasado. La sociedad novohispana encontró en el arte un medio efectivo para legitimar sus demandas, por medio de la revalorización de la historia. El artista y el pincel se convirtieron en la mancuerna ideal para retratar a un pueblo que sólo podía ser definido a partir de su diversidad. Así, las imágenes colaboraron en la construcción de un pasado mítico, venturoso y lleno de gloria.
Desde el momento mismo de su creación, la imagen, por su función retentiva, suele quedar cautiva del texto o del museo de historia donde se le confina. Allí se le mira utilizada y reciclada *ad infinitum* como un mero apoyo "documental" al discurso del historiador a secas, negándole con ello toda capacidad especulativa propia o la significación peculiar que gozaba en el contexto de su patrocinio original. Por medio de estos estudios –y por ende del guión– hemos querido restituirla a su "linfa vital", como afirmaba Edward Wind parafraseando a Warburg; para no privarla de su "propia vida", para que transite de un estado de latencia a otro de elocuencia y se reconstituya, así, en un objeto de transmisión cultural. De tal suerte se quiere que el lector-visitante intente responder dos cuestiones fundamentales: la interrelación entre el discurso del texto y el de la imagen, y la circunstancia decisiva del patrocinio. Es evidente que al recorrer estos grandes cuadros nos topamos ante una formulación unilateral de un pasado convenido a los intereses de clases y facciones, producto de una memoria adulterada; por ello no vale aplicar un criterio inoperante o mecánico, como la pretendida "verosimilitud documental", la idealidad, la inocencia o la neutralidad ante los hechos.

Anónimo.
Bautizo de los señores de Tlaxcala.
Siglo XVII. Óleo sobre tela.
350 x 350 cm.

Página anterior:
Anónimo.
Encuentro de Cortés y Moctezuma.
Siglo XVII. Óleo sobre tela.
70 x 110 cm.
Fotos de Arturo Piera L.

Un proyecto museológico de esta índole está justificado no sólo por su contribución al *corpus* iconográfico de la Nueva España, sino también por la utilidad que en el futuro pueda prestar a los especialistas al reconsiderar —en trabajos más afinados, puntuales y profundos— nuestras estrategias de análisis o los enlaces temáticos y genéricos que aquí se han planteado. Nos son necesarios mayores estudios que, finalmente, revisen las categorías tradicionales con que se ha venido conociendo la nutrida producción pictórica de la Nueva España; en otras palabras, que ponderen la especificidad temática de un género que aún no ha sido visto como tal; que comprendan el profundo valor documental (o incluso ecléctico) que posee; sus virtudes formales y narrativas además de su notable vistosidad plástica (lo que nos permite estudiar de paso a los pintores como compositores y coloristas). Esta tarea amerita de forma sobrada el esfuerzo museológico y catalográfico con el que el Museo Nacional de Arte lleva a cabo su misión de examinar y difundir etapas, autores y problemas inherentes a la historia del arte mexicano. Más aún cuando por medio de estas imágenes ya se plasmaba, desde entonces, un discurso muy ligado a la búsqueda de la identidad de cada grupo, a los problemas y desencuentros originados por los distintos proyectos históricos por los que atravesó la Nueva España —como entidad cultural y política integrada o diferenciada— y que son uno de tantos espejos de una sociedad mucho más inquieta y propositiva de lo que comúnmente imaginamos. Hay que repetir aquí la certera reflexión de Edmundo O'Gorman al contemplar la cultura del virreinato y que también para aquellos hombres constituía un axioma: la Nueva España es un proyecto animado "por el desvelo ontológico de conquistar un ser propio en la historia; [es] la febril actividad de tejer un glorioso sueño".

Esta exposición se presentó de junio a octubre de 1999 en el Museo Nacional de Arte gracias al apoyo del patronato del museo, de Fomento Cultural Banamex y de Aeroméxico. El libro-catálogo se editó en conjunto con el Instituto de Investigaciones Estéticas de la UNAM.

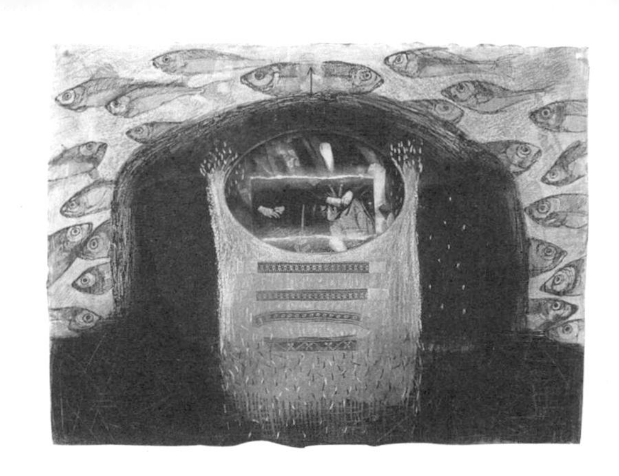

Teresa Olabuenaga

Disertación sobre LO CONSTANTE Y LO EFÍMERO

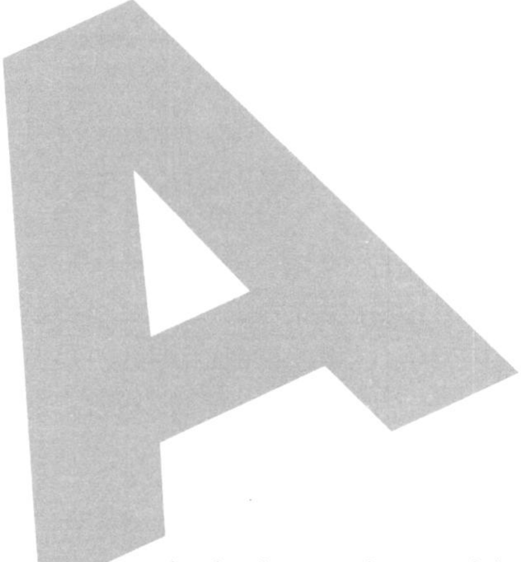

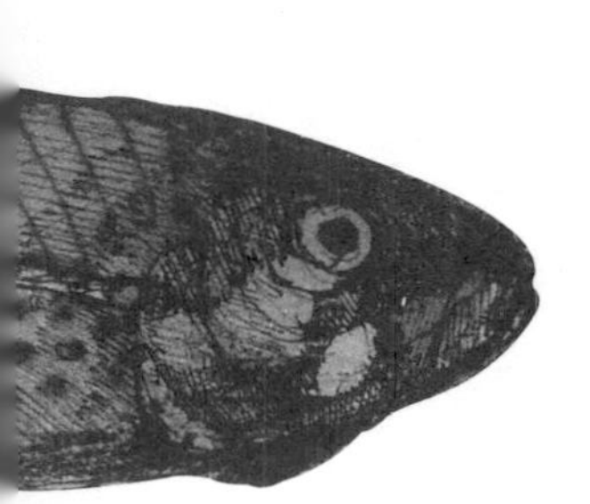

cercarse desde el punto de vista del propio artista a una obra terminada; acercarse esta vez desde el punto de vista crítico, quizá objetivo, quizá a través de una reflexión introspectiva, labor ajena al instante de la pasión de la creación *in situ*. Ésta es una labor entre una nube y una mano que señala una silla donde apoyar nuestro cuerpo. Implica acercarse por segunda vez a la obra de uno mismo y quizá por tercera vez a la reflexión de la imagen de uno mismo sobre uno mismo. La obra es un autorretrato. La obra es un drama.

La obra es un autorretrato: me descubre y la descubro. Soy yo misma en otro ser que observa. El deslindamiento entre el proceso creativo y la obra de arte provoca el propio abandono, aunque ese mismo abandono permita el nacimiento de dos nuevos seres: la obra y uno mismo.

Cuando creo una obra, generalmente no tengo una idea precisa o preconcebida de lo que quiero hacer. De hecho, dejo que la obra, a partir del material base, se vaya desarrollando a través de mí, su traductora. Alguna vez leí de Kandinsky que el artista no es más que un esclavo de su obra, porque Dios habla a la obra a través del artista. Me gusta la idea. Implica que el artista, como ser, es un pincel, un medio de Dios. Y sin afán de implicar mi trabajo con una inspiración de corte divino, de alguna manera en el proceso creativo hay un ser que se posesiona de mi cuerpo y de mi alma. Lo maravilloso de este proceso de posesión es que el resultado siempre es la belleza, como sea que la queramos entender.

Cuando observo mi obra desde afuera parece no ser mía, está lejana y, al mismo tiempo, se hace presente como un individuo con personalidad propia. Lo que se hace presente es mi "yo" transferido a otro plano, al de la soledad, la infancia y la muerte, tríada básica en toda mi obra.

Creo que la obra me mira... ¿me cuestiona?, ¿me quiere?, ¿me acepta?

En esta dicotomía el "nosotros" no es un dos sino un tres: el artista, su "otro" y la obra que nace de ellos, entre ellos, en contra de ellos, a pesar de ellos.

Mi proceso creativo es parte de ese "otro" que me habita durante periodos muy cortos de unas dos o tres horas de manera intermitente. En el intermedio, salgo al jardín, acaricio a mis gatos, hago consciente el hecho de que la música invade mi taller completamente blanco.

Habito en una casa-estudio que yo misma diseñé. Mi casa también es una obra, es una proyección de mí misma. Mi casa es igual a la obra que creo: está llena de color y textura, y siempre huele a copal y nardos. Mi mundo cotidiano está siempre y voluntariamente restringido al placer y al silencio. De vez en cuando se escucha una ópera y el maullido en la lejanía de cualquiera de mis tres gatos... mis hijos. En mi mundo el equilibrio es imprescindible, pero el error siempre debe estar presente.

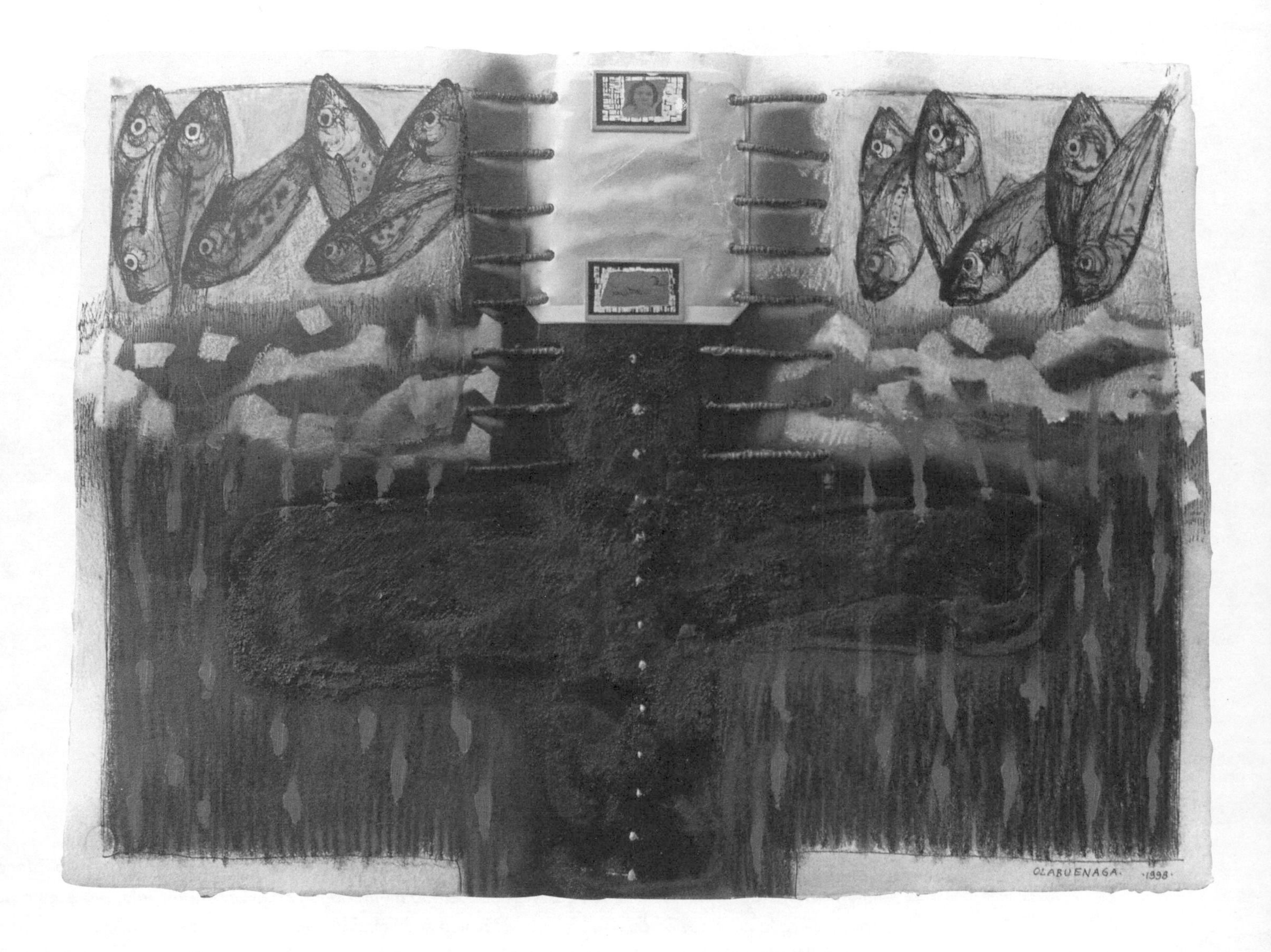

16 razones para decir no. *1998.*
Mixta sobre papel hecho a mano.
60 x 80 cm.

Página anterior:
Las 6 preguntas. *1998.*
Mixta sobre papel hecho a mano.
60 x 80 cm.

Mi "yo" en el proceso creativo no piensa... es. La creación de la obra se da espontáneamente, según los materiales que se van añadiendo al material base, sea éste papel, madera o tela. En mi obra escultórica sucede lo mismo: no quito materia al esqueleto, le añado vida. Todo mi trabajo, trátese de pintura, escultura, grabado o papel hecho a mano, es un *collage*.

En este sentido, pienso que debería declarar mi oposición a las propuestas del "blanco eterno" de Cézanne o Klee, porque contrarían la idea de ver al mundo no creado como perfecto; yo veo mi mundo carente de mucho y de todo. A mi mundo hay que decorarlo, hay que añadirle color y textura, hay que enriquecerlo con toda esa cantidad de cosas que aparecen de repente en el espacio cotidiano que me rodea.

Esto, creo, se debe al hecho de que la soledad, la infancia y la muerte invaden, roban, quitan; pero también irrumpen, dan, otorgan... ¿A quién?... A mi niña.

Ésta fue la motivación de la exposición "Seducciones aplazadas". A partir de este proceso de ir dejando que la idea surgiera espontáneamente, se hicieron presentes los peces como personajes principales de la obra en su conjunto. El pez como movimiento, como alimento, vida y fecundidad... el banquete eucarístico. Este simbolismo descubierto durante el proceso creativo, reafirma la idea de que el mundo íntimo se redescubre y a la vez se construye en este ir y venir entre lo constante y lo efímero.

El mundo, entonces, se ve a través de un tubo de plata. Hay un punto de concentración y éste siempre es un microcosmos que en el proceso creativo convierte su pequeño espacio en un universo casi infinito.

Este concepto de la casi infinitud me hace reflexionar sobre el tema de la permanencia. ¿La obra es a pesar de su materia?, ¿el tema se impone o es encontrado?, ¿es el lenguaje el que habla más allá de su medio?, ¿es el medio principio y fin de la obra de arte?, ¿quién es el que permanece: el artista, la obra, su medio, su tiempo, la idea...?

Finalmente decido no preocuparme por ello. Decreto que mi proceso creativo parte de la espontaneidad relativa a la yuxtaposición de materiales, colores y texturas. Finalmente no sé si lo que hago permanecerá, trascenderá o incluso el día de hoy comunica algo a quien lo observa. La obra se observa. Finalmente sé que no hay fin.

Ser artista supone una esclavitud iluminada.

La exposición "Seducciones aplazadas" de Teresa Olabuenaga se presentó en el Palacio de Bellas Artes de Asturias en marzo de 1999.

Rosa Luz Marroquín: territorios de MEMORIA Y OLVIDO

Entrevista de Gabriela Olmos

Premiada en Polonia con el tercer lugar de la Trienal Internacional de Tapiz, la instalación *Los territorios a la memoria*, de Rosa Luz Marroquín, representó para la autora la culminación de una búsqueda técnica encaminada, entre otras cosas, a plasmar el paso del tiempo. Desde hace varios años, la obra textil de Rosa Luz se caracteriza por contener una cartografía de sus recuerdos cifrada en pequeños parches, bordados que emulan cicatrices, aplicaciones de elementos que fueron importantes en su vida, hilvanes. En este trabajo no existe un centímetro igual a otro porque cada puntada —dice ella— es un instante de su vida, un latido de su corazón. Cada puntada está hecha a mano, por eso, a pesar de que su tamaño es el mismo, el ritmo de las ocho piezas que constituyen la instalación es variable —a veces débil, a veces fuerte—, como la vida misma. Las costuras de Rosa Luz son una progresión de evocaciones, de sentimientos, de sueños, son la manifestación plástica del devenir.

¿Cómo fue la exploración estilística que desembocó en *Los territorios a la memoria*?

Durante mucho tiempo, trabajé piezas de formato grande en telar. Necesitaba hacer una pausa, porque tenía la inquietud de realizar una serie de montajes con algunas piezas de mi ropa que ya no utilizaba, pero que había guardado por su valor sentimental. Muchas de ellas habían sido creadas en telar de cintura por las maravillosas manos de las mujeres indígenas; la mayoría era de fibras naturales, bordadas. Yo las rebordé para destacar o complementar algunos de sus elementos.

Cuando la reserva de telas se agotó, tuve que añadir otros materiales. Esta parte fue difícil porque tenía que recurrir a objetos que ayudaran a la composición, pues, a pesar de que la idea se transforma conforme se resuelve la obra, hay que tratar siempre de no caer en artificios innecesarios que modifiquen el sentido inicial con que el trabajo fue concebido.

Cada una de las piezas que integran la instalación tiene para mí un valor individual. *Los territorios a la memoria* es una compilación susceptible de seguir creciendo, porque siempre vamos acumulando pensamientos, sueños. Cada instante de cada ser humano abre posibilidades a la creación; siempre habrán cosas nuevas qué decir. El arte, como la vida, nos ofrece alternativas distintas todos los días; buscarlas es parte de la exploración y el descubrimiento.

¿Qué territorios de la memoria están depositados en este trabajo?

Todos tenemos un lugar reservado a nuestros recuerdos, a nuestra historia, a todo lo que vamos viviendo, sufriendo, gozando. Al mirar en silencio este territorio maduramos, crecemos. Sin memoria, la existencia no tendría sentido, porque no podemos estar únicamente en el presente o pensar sólo en el futuro. Todo lo que guardamos ahí, como parte del pasado, nos ayuda a comprender y a valorar el misterio de la vida.

Mucho de lo que he plasmado son evocaciones de infancia. En mi vida estuvo muy presente el campo, ese lugar tranquilo, inmenso, sin barreras, sin muros. Soy de familia de mineros, por eso fue importante tam-

Día de los mil soles. *1990.*
Mixta.
120 x 80 cm.

Sin título. *1990.*
Tapiz morado.
117 x 60 cm.

Página anterior:
Rumbo a Cabras. *1985.*
Mixta.
100 x 100 cm.
Fotos: Pablo Labastida.

bién el sentido de la aventura característico del espíritu del transhumante. El entorno define y marca a los seres humanos, los llena de memoria. El arraigo a la tierra influye en tus manifestaciones, porque la identificación con cierto sitio puede convertirse en un manantial de recuerdos.

Pero hay ciertas cosas que uno olvida, ¿qué papel juegan éstas en los territorios de la memoria?, ¿está también cifrado este trabajo en el olvido?

Uno quisiera borrar tantas cosas, sobre todo cuando nos vemos expuestos a situaciones dolorosas. Pero pienso que es necesario no olvidar del todo; hay que buscar un provecho o una lección de lo que hemos vivido, aun de lo que quisiéramos eliminar, para podernos acercar a nosotros mismos y a los demás.

El artista tiene que ser un testigo de su tiempo. Todo lo que plasmamos es lo que hemos vivido o lo que quisiéramos ser. En esta medida, lo que alguna vez nos sucedió, aunque quisiéramos no recordarlo, también está presente, pero de una manera muy especial. El trabajo del artista es apropiarse de la naturaleza y transformarla, llenarla de magia y de misterio. En la creación no puede separarse el recuerdo del olvido, porque en la vida existen unidos. Por esto, *Los territorios a la memoria* no sólo tienen añadidos y parches, también tienen bordados a manera de cicatriz.

Creo que existe un paralelismo entre la vida y la creación artística. En ambos caminos nos enfrentamos a situaciones difíciles, injustas, inesperadas, que solucionamos conforme se nos presentan. No podemos evitar que aparezcan, pero sí podemos aprovechar todas estas cosas y, a través de ellas, defender siempre nuestro derecho a existir, a decidir y a vivir.

Hay artistas que para expresarse gritan, otros en cambio recurren a la seducción del susurro. El tema de la obra define muchas veces la tesitura de la expresión. ¿De qué lado consideras que está *Los territorios a la memoria*?

En el arte, algunos convocan a la paz, otros a la guerra, pero el tono de la obra depende del momento de la vida en que estemos inmersos. Siempre estamos luchando entre dos polos; toda nuestra existencia transcurre en la relación de opuestos. Yo busco el punto de equilibrio como una necesidad de vida. Trato de encontrar el justo medio entre la emoción y la razón, entre el grito y el susurro.

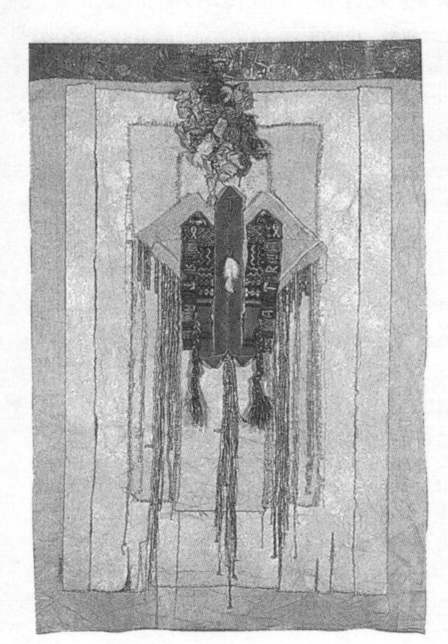

Esto no quiere decir que, en el momento de la creación, no busque desbordar las emociones, pero estoy segura de que el arte, como medio de expresión, es prácticamente ilimitado. Muchas veces un trabajo puede zarandear a una sociedad, se puede gritar, se puede denunciar; en otras ocasiones, un detalle aparentemente insignificante o pequeño puede transmitir un mensaje inmenso.

Sin embargo, los gritos y los susurros, la memoria y el olvido, poco importan si el creador no está consciente de la lucha más difícil, la que se libra contra el tiempo. A veces me he sentido muy enferma, con poco ánimo, pero siempre me despierta la necesidad de dejar algo que confirme mi existencia. El día sólo tiene 24 horas y, como no podemos vivir 200 años, tengo la impresión de que la vida nunca nos bastará para concretar nuestros sueños. Ésta es la angustia de quienes nos dedicamos al arte. La obra es la única posibilidad que tenemos para justificar nuestra existencia.

Entonces, ¿consideras que el arte es una lucha por no olvidar, un territorio de la memoria?

Desde la antigüedad, el hombre ha sentido la necesidad de dejar testimonio de su paso por la vida. Las obras son quizá nuestra única posibilidad de hacerlo, porque nos contienen: son un diálogo entre el creador y el trabajo. Son también una oración, una plegaria. El trabajo del artista, sin dejar de ser un breviario de su vida, siempre tiene algo de religioso. *Los territorios a la memoria* contiene mi existencia entera. En cada puntada se encuentra plasmado el tiempo que pasa. Hay cicatrices y parches, porque la vida es eso: sanar y sanar, nunca eliminar. En el trabajo buscaba representar un pulso, un ritmo que se hace cada vez más débil, que está cada vez más cerca de la muerte.

¿Por qué cifrar, en este momento de tu vida, los territorios de la memoria?

Porque con el paso del tiempo he descubierto que los hombres somos nuestros recuerdos, que sin ellos no existiríamos. Es cierto que, en el presente, el pasado ya fue, pero la memoria es historia. No hay ser humano sin historia, no hay país sin historia. Desde el momento en que nacemos empezamos a acumular recuerdos y a morir. Entre más camines, sufras y te equivoques, tendrás más datos para seguir creando. La existencia humana, vista de esta perspectiva, es memoria; cada vez almacenamos más cosas, cada vez nos acercamos más a la muerte. Paradójicamente, al final poco importarán los recuerdos, pero no por eso debemos ignorarlos, porque la vida humana no es otra cosa que un constante debate entre los territorios de la memoria y los territorios del olvido.

El arte es, probablemente, el último reducto que tiene el ser humano para expresar esta lucha con libertad. Quizá en el futuro algún observador tenga la capacidad de emocionarse ante estas pequeñas o grandes obras que hoy creamos. En ese momento, seremos parte de los territorios de la memoria y, entonces, nuestro trabajo habrá cobrado sentido.

MUSEOS

ANTIGUO COLEGIO DE SAN ILDEFONSO

AGOSTO-DICIEMBRE:

Los mayas. La mayor muestra en torno a los mayas, con 540 piezas de museos de México, Belice, Guatemala, Honduras, El Salvador y Costa Rica.
Justo Sierra 16. Centro histórico. 5702 2384.

ANTIGUO PALACIO DEL ARZOBISPADO

MAYO 20-SEPTIEMBRE 19:

Chabela Villaseñor. Documentos, fotografías y retratos en torno a esta musa de Manuel Álvarez Bravo, José Chávez Morado y Raúl Anguiano, entre otros.
Moneda 4. Centro histórico. 5521 4675. 5518 5592.

CENTRO DE LA IMAGEN

AGOSTO 12-SEPTIEMBRE 13:

Evacar. *Pedro Slim.* Fotografía.

SEPTIEMBRE 23-NOVIEMBRE 11:

Bienal Internacional de Fotografía 1999.
Plaza de la Ciudadela 2. Centro histórico. 5709 5974. 5709 5914. 5709 6095.

EX TERESA ARTE ACTUAL

JULIO 22-AGOSTO 22:

Ruido... Primer Festival de Arte Sonoro.

JULIO 3-SEPTIEMBRE 26:

Friday's Night. Colectiva. Artistas de Monterrey.

OCTUBRE 29-NOVIEMBRE 7:

It Looks like Rain. Video. Royal College of Art de Londres.
Lic. Verdad 8. Centro histórico. 5522 9093. 5522 2721.

MARCO, MUSEO DE ARTE CONTEMPORÁNEO

MAYO 28-AGOSTO 20:

Pierre Alechinsky. Pintura y dibujo. Retrospectiva de este artista belga.

JULIO 9-OCTUBRE 16:

Inside Out. New Chinese Art. Pintura, instalación, gráfica, video y performance. Muestra de más de 80 artistas de origen chino; organizada por la Asian Society de Nueva York en colaboración con el Museo de Arte Moderno de San Francisco.
Zuazúa y Ocampo s/n, Monterrey, Nuevo León. (8) 342 4820. 342 4830.

MUSEO DE ARTE CONTEMPORÁNEO INTERNACIONAL RUFINO TAMAYO

JUNIO 3-SEPTIEMBRE 5:

Isamu Noguchi y la figura. Escultura. Selección de obras de este artista estadounidense-japonés que participó en el movimiento de integración plástica promovido por José Vasconcelos.

JUNIO 24-SEPTIEMBRE 26:

Joven entusiasta. *Miguel Calderón.* Video.

AGOSTO 19-OCTUBRE 31:

Tamayo. Su idea del hombre. Pintura. Obras claves procedentes de diversos museos y colecciones.

SEPTIEMBRE 23-OCTUBRE 31:

Arte en el cielo. *Frank Stella, Niki de Saint Phalle* y *Antoni Tapies*, entre otros. Pintura sobre papalotes. Obras realizadas con artesanos japoneses.
Reforma y Gandhi. Bosque de Chapultepec. 5286 6519.

MUSEO CASA ESTUDIO DIEGO RIVERA Y FRIDA KAHLO

JULIO 27-SEPTIEMBRE 26:

Entre vanguardias. *Francisco Miguel.* Pintura, dibujo y batik. Muestra que conmemora el centenario de este artista gallego-mexicano.

SEPTIEMBRE 28-NOVIEMBRE 28:

Luz Jiménez. Mujer, modelo y musa de la pintura mexicana. Óleos, fotografías y esculturas de creadores como Diego Rivera y Jean Charlot.
Diego Rivera y Altavista. San Ángel. 5550 1518.

MUSEO DE ARTE CARRILLO GIL

AGOSTO 4-NOVIEMBRE 7:

Engendros del ocio y la hipocresía. *Eduardo Abaroa.* Instalación y escultura. Propuesta estética que demuestra el carácter arbitrario de los iconos.

AGOSTO 18-NOVIEMBRE 14:

Espacio en construcción. *Francisco Castro Leñero.* Pintura. Obras sobre la ciudad, la música y la materialidad de la pintura misma.

AGOSTO 30-DICIEMBRE 6:

Orozco en la colección Carrillo Gil. Pintura, litografía y grabado. Muestra articulada en torno al cuadro de Orozco *La Victoria* (1944).

La verdadera historia del cowboy. *Diego Gutiérrez.* Video.

Richard Lerman. Instalación sonora.
Av. Revolución 1608. San Ángel. 5550 1254. 5550 6284.

MUSEO DE ARTE MODERNO

JULIO 15-SEPTIEMBRE 26:

Henri Cartier-Bresson. Retrospectiva. Fotografía. Obras realizadas entre 1931 y los años ochenta.

JULIO 29-OCTUBRE 17:

Su destino secreto. *Enrique Guzmán.* Pintura.

AGOSTO 26-OCTUBRE 31:

Tierra salvaje. Colectiva. La pintura paisajista canadiense y el Grupo de los Siete.

SEPTIEMBRE 2-NOVIEMBRE 7:

Paisaje mexicano en el siglo XX. *Angelina Beloff, Olga Costa, Maria Izquierdo, Francisco Goitia* y *José María Velasco*, entre otros.

SEPTIEMBRE 2-NOVIEMBRE 7:

El paisaje mexicano hoy. *Rafael Cauduro, Xavier Esqueda* y *Rodrigo Pimentel*, entre otros.

OCTUBRE 7-FEBRERO 13:

Gustavo Pérez. Cerámica.
Paseo de la Reforma y Gandhi. Bosque de Chapultepec. 5553 6233. 5211 8729. 5211 8331.

MUSEO DEL PALACIO DE BELLAS ARTES

AGOSTO 18-OCTUBRE 31:

Andy Warhol. Pintura y objetos gráficos. Muestra que presenta piezas creadas entre 1950 y 1986.

AGOSTO 5-OCTUBRE 4:

Mario Pani. Arquitectura.

JULIO 21-OCTUBRE 3:

Corpus. *Alberto Castro Leñero.* Pintura. Obras en torno al cuerpo de la mujer.
Av. Juárez y Ángela Peralta. Centro histórico. 5512 2593.

MUSEO DOLORES OLMEDO PATIÑO

JULIO 24-OCTUBRE 3:

Frida, mi vida. *Renate Reichert.* Fantasía pictórica en 47 variaciones sobre el cuadro *Las dos Fridas* de Frida Kahlo.
Av. México 5843. La Noria Xochimilco. 5555 1016.

MUSEO FRANZ MAYER

JULIO 14-SEPTIEMBRE 5:

Cerámica de Mata Ortiz, Chihuahua.
Av. Hidalgo 45. Centro histórico. 5518 2265 al 71.

MUSEO JOSÉ LUIS CUEVAS

JUNIO 24-SEPTIEMBRE 2:

Rembrandt. Fototipos impresos a finales del siglo XIX de Rembrandt van Rijn.

AGOSTO 5-SEPTIEMBRE 13:

Gonzalo Cienfuegos. Dos décadas de pintura. Más de 50 óleos de este artista chileno.

SEPTIEMBRE 9-OCTUBRE 17:

Espacio pictórico. *Manuel Marín.* Pintura.

FEBRERO 11-OCTUBRE 17:

José Luis Cuevas. Obras. Muestrario de técnicas en la producción de los años noventa.
Academia 13. Centro histórico. 5542 6198. 5522 0156.

MUSEO MURAL DIEGO RIVERA

JULIO 1-SEPTIEMBRE 26:

Visión pictórica de Emiliano Zapata. *Carlos Aguirre, David Alfaro Siqueiros, Raúl Anguiano* y *Miguel Covarrubias*, entre varios más. Pintura, escultura, estampa, fotografía y dibujo.

OCTUBRE 7-ENERO:

Diego Rivera. Obra inédita. Dibujos realizados por el artista en Oaxaca.
Balderas y Colón. Centro histórico. 5512 0754. 510 2329.

MUSEO NACIONAL DE ARTE

MAYO 20-SEPTIEMBRE 26:

Los pinceles de la historia. El origen del reino de la Nueva España (1680-1750). *Miguel Cabrera, José de Ibarra, Francisco Tresguerras y los hermanos Nicolás y Juan Rodríguez Juárez*, entre otros.
Tacuba 8. Centro histórico. 5512 3224. 5512 1684.

MUSEO NACIONAL DE CULTURAS POPULARES

JUNIO 10-SEPTIEMBRE 25:

Arquitectura que canta. La manifestación arquitectónica en distintas regiones y culturas.
Av. Hidalgo 289. Del Carmen Coyoacán. 5554 83 57. 5658 1265.

MUSEO NACIONAL DE SAN CARLOS

JULIO-SEPTIEMBRE:

Zurbarán y su obrador. Pinturas para el Nuevo Mundo. Muestra itinerante a propósito del cuarto centenario del pintor español del barroco.
Puente de Alvarado 50. Tabacalera. 5566 8522. 5592 3721.

MUSEO SOUMAYA

SEPTIEMBRE 9-FEBRERO:

El viento detenido. Biombos novohispanos, filipinos, italianos y peruanos, colección del museo.
Av. Revolución y Río Magdalena. Plaza Loreto. 5616 3731.

MUSEO UNIVERSITARIO DEL CHOPO

AGOSTO 18-OCTUBRE 3:

Éxodos. El exilio artístico en México 1933-1945. *Manuel Álvarez Bravo, Agusti Centelles, Robert Capa, Kati Horna, Walter Reuter.* Fotografía.

AGOSTO 26-SEPTIEMBRE 26:

Joan y Pepe Llavería. Escultura. Artistas españoles.

AGOSTO 30-SEPTIEMBRE 3:

Grupo Cambio Radical. Colectiva. Plástica.

EXPOSICIONES

OCTUBRE 13-NOVIEMBRE 28:
Poesianografías y objetos. *Ernesto Marenco.* Arte objeto e instalación.
NOVIEMBRE 6-NOVIEMBRE 21:
Froylán Ruiz. Pintura y escultura.
Enrique González Martínez 10. Santa María la Ribera. 5546 8490. 5546 5484.

GALERÍAS

CENTRO DE CULTURA CASA LAMM

SEPTIEMBRE 7-OCTUBRE 3:
Por las veredas de los sueños. *Javier Cruz.* Pintura.
OCTUBRE 19-NOVIEMBRE 14:
Abelardo López. Pintura.
NOVIEMBRE 23-DICIEMBRE 23:
Omnia. *Laura Hernández.* Escultura y pintura mural.
Álvaro Obregón 99. Roma. 514 4899 525 0019.

ESPACE D´ART YVONAMOR PALIX

MAYO 13-SEPTIEMBRE 30:
La mariée/La novia. *Yolanda Gutiérrez, Valérie Belin, Nancy Wilson* y *Carmen Mariscal*, entre otras. Instalación. Artistas jóvenes de México, Canadá y Francia reflexionan sobre la femineidad y el ritual.
Córdoba 37-7. Roma. 5514 5384.

GALERÍA DE ARTE MEXICANO

AGOSTO-SEPTIEMBRE:
María Sada. Pintura.
Gobernador Rafael Rebollar 43. San Miguel Chapultepec. 5273 1261. 5272 5529.

GALERÍA DE ARTE MISRACHI

SEPTIEMBRE 9-OCTUBRE 1:
Los caminos del realismo. *Miguel Carrillo, Rafael Cauduro, Javier Marín* y *Benjamín Domínguez*, entre otros. Escultura y pintura.
OCTUBRE 21-NOVIEMBRE 5:
Nunik Sauret. Pintura.
NOVIEMBRE 18-ENERO 14, 2000:
El cierre del milenio. *Rufino Tamayo, Diego Rivera, Pedro Coronel* y *Francisco Zúñiga*, entre otros. Escultura y pintura.
Lafontaine 243. Polanco. 5250 4902.

GALERÍA ARVIL

JUNIO-DICIEMBRE:
Treinta años de la Galería Arvil. *Frida Kahlo, Diego Rivera, Rufino Tamayo, Francisco Toledo, José Castro Leñero* y *Julio Galán*, entre otros.
Cerrada de Hamburgo 7 y 9. Juárez. 5207 2707.

GALERÍA DEL CENTRO MÉDICO NACIONAL SIGLO XXI

AGOSTO-SEPTIEMBRE:
Plástica contemporánea. Zacatecas a finales del siglo XX. *Manuel Felguérez, Rafael Coronel, Pedro Coronel* y *Francisco Goitia*, entre otros.
Cerrada de Hamburgo 7 y 9. Juárez. 5207 2707.

GALERÍA ENRIQUE GUERRERO

AGOSTO 26-OCTUBRE 7:
Marco Arce. Pintura.
Horacio 1549-A. Polanco. 5280 5183. 55280 2941.

GALERÍA ESTELA SHAPIRO

AGOSTO 28-SEPTIEMBRE 23:
Seis hombres y una mujer. *Aarón Cruz, Mario Rangel, Johnatan Barbieri, Antonio López Sáenz, Luis Granda, Rodolfo Morales* y *Rosa Luz Marroquín.* Óleos y textiles.
SEPTIEMBRE 25-OCTUBRE 19:
Abstracciones. *Carmen Collazo.* Pintura y gráfica.
OCTUBRE 23-NOVIEMBRE 20:
Museo de Historia Natural. *Annie Rodríguez.* Pintura.
Victor Hugo 72. Anzures. 5254 1916. 5254 2109.

GALERÍA JUAN MARTÍN

AGOSTO-SEPTIEMBRE:
Reencuentros. *Lola Álvarez Bravo.* Fotografía.
SEPTIEMBRE-OCTUBRE:
Francisco Toledo. Obra gráfica reciente.
OCTUBRE-NOVIEMBRE:
Marina Láscaris. Escultura.
NOVIEMBRE-DICIEMBRE:
Vicente Rojo. Pintura.
Dickens 33B. Polanco. 5280 0277.

GALERÍA KIN

AGOSTO 11-AGOSTO 31:
Diálogo. *Adriana* y *Marcela Lobo.* Pintura.
SEPTIEMBRE 14-SEPTIEMBRE 30:
Oaxaqueños. Colectiva. Escultura y pintura.
OCTUBRE 6-OCTUBRE 31:
Juan Manuel Mauleón. Pintura.
Altavista 92. San Ángel. 5550 8910. 5550 8641.

GALERÍA LÓPEZ QUIROGA

AGOSTO 5-SEPTIEMBRE 25:
Colectiva. *Miguel Castro Leñero, Javier Arévalo* y *Vicente Rojo.* Pintura y dibujo.
OCTUBRE 7-NOVIEMBRE 13:
Colectiva. *Irma Palacios, Benjamín Manzo* y *Ricardo Newman.* Pintura.
Masaryk 379. Polanco. 5280 6218. 5280 1247.

GALERÍA METROPOLITANA

SEPTIEMBRE 21-NOVIEMBRE 13:
Orígenes e indiciones. *Edna Pallares, Alfredo Bellifiore* y *José Antonio Platas.* Escultura.
Medellín 28. Roma. 5511 2761.

GALERÍA NINA MENOCAL

OCTUBRE 19-NOVIEMBRE 19:
Sandra Ramos. Pintura y escultura.
NOVIEMBRE 23-DICIEMBRE 15:
Estéreo Segura. Pintura y escultura.
Zacatecas 93. Roma. 5564 7209. 5564 7443.

GALERÍA OMR

JULIO 1-SEPTIEMBRE 7:
Nostalgia. Colectiva. Fotografía.
JULIO 1-SEPTIEMBRE 3:
Yolanda Paulsen. Escultura.
JULIO 1-SEPTIEMBRE 3:
Objetos ajenos. *Mauricio Alejo.* Fotografía.
SEPTIEMBRE 9-OCTUBRE 18:
Ray Smith. Pintura.
OCTUBRE 21-NOVIEMBRE 25:
Nuevos materiales. Colectiva. Escultura.
Plaza Río de Janeiro 54. Roma. 5511 1179. 5525 3095.

GALERÍA ÓSCAR ROMÁN

AGOSTO 11-SEPTIEMBRE 4:
Camino perdido. *Arturo Márquez.* Pintura.
AGOSTO 11-SEPTIEMBRE 4:
Reflejos de vidrio y acero. *Guillermo González.* Fotografía. Imágenes creadas a partir de reflejos.
SEPTIEMBRE 8-OCTUBRE 2:
Jorge Marín y Carlos Fentaries. Pintura y escultura.
OCTUBRE 6-NOVIEMBRE 6:
Carlos Torres. Pintura.
Julio Verne 14. Polanco. 5280 0436. 5281 0270.

GALERÍA PECANINS

AGOSTO-SEPTIEMBRE:
Malcom Coelho. Escultura.
SEPTIEMBRE-OCTUBRE:
Ni modo II. *Gianni Capitani.* Instalación.
NOVIEMBRE:
Jordi Boldó. Pintura.
Durango 186. Roma. 5514 0621. 5207 5661.

GALERÍA DE LA SHCP

JULIO 29-OCTUBRE 24:
Jan Hendrix. Serigrafías y litografías.
Guatemala 8. Centro. 5521 4675. 5518 5592.

OUT GALLERY

AGOSTO 13-SEPTIEMBRE 20:
Colección permanente. *Roberto Longo, Rufino Tamayo, Trinni, Eloy Tarsicio, Ferrus* y *Gilberto Aceves Navarro*, entre otros. Pintura y gráfica.
SEPTIEMBRE 23-OCTUBRE 19:
Nueve artistas emergentes del diamante. *José Luis Sánchez Rull, Miguel Canseco* y *Teresa Olabuenaga*, entre otros.
OCTUBRE 22-NOVIEMBRE 18:
Humor y color. *Francisco Jiménez, Alejandro Arango, Griton* y *Barry Wolfryd.* Pintura.
Colima 179. Roma. 5525 4500.

POLYFORUM SIQUEIROS, A. C.

SEPTIEMBRE 8-SEPTIEMBRE 29:
Alberto Calzada. Con *collage* y tipografía se recrean paisajes y composiciones abstractas.
OCTUBRE 30-DICIEMBRE 31:
Reencuentros con la obra mural de Siqueiros. A partir del mural *La marcha de la humanidad en la América Latina hacia el cosmos* se exploran las teorías del artista sobre la integración plástica.
Insurgentes Sur 701. Nápoles. 5536 4520.

THE GALLERY

AGOSTO 2-AGOSTO 27:
Agustín Portillo y Franco Aceves Humana. Pintura.
SEPTIEMBRE 13-SEPTIEMBRE 24:
Peter Åström. Fotografía.
OCTUBRE 11-NOVIEMBRE 8:
Agustín Portillo. Pintura.
Galileo 37. Polanco. 5280 4098. 5540 7429.

Después del cierre de edición, *Artes de México* no se hace responsable de los cambios relacionados con las exposiciones. Museos y galerías pueden enviar su información a Plaza Río de Janeiro 52, Col. Roma, 06700, México, D. F. Teléfono 5208 3217. Fax 5525 5925. artesmex@internet.com.mx

OTROS OJOS
para ver

Glenn Gallardo

La conciencia del propio material y el respeto de ciertas reglas del quehacer plástico como condiciones insoslayables para el dominio del oficio, son elementos que contribuyen al encuentro con el gozo festivo que representa la culminación de los esfuerzos. Independientemente del resultado final, también existe gozo en el dolor de la creación. El artista se regocija igualmente en la búsqueda. Si sufre, su sufrimiento es una jubilación de los sentidos —táctil y visual en el caso que nos ocupa, aunque seguramente hasta olfativa— dentro de la cual la obra va encontrándose a sí misma. No es raro, pues, que José Francisco, pintor y escultor tabasqueño en quien coinciden la exuberancia y el rigor, haya elegido como título "Entre el dolor y la fiesta" para una de sus exposiciones en el Palacio de Bellas Artes al inicio de esta década (1991).

Pintura efectivamente enfrentada al dolor incesante de su propio parto, la de José Francisco sangra, hace llover frente a los ojos anegados las lágrimas o el sudor que salpican los cuadros con vehemencia. Frente a ese rocío multicolor el espectador tiene que abrirse paso para saber lo que hay detrás: encuentros, sandías patrióticas, juegos eróticos. Después, para regalo de la fantasía y la libertad, todo un bestiario: caballos de plata, luciérnagas, pegasos, serpientes emplumadas. Todo, no obstante la aparente violencia, está dado para la evocación poética.

Sólo hasta que el espectador consigue quitarse de los ojos esta lluvia de sangre desaparece el dolor, tienen lugar la fiesta y la jubilación, no sólo por las escenas que nos ofrecen algunos de los cuadros y esculturas (*Noche de luciérnagas, Bañistas, Húmedo nocturno, Dhelos*), sino porque también, y quizá de un modo especialmente acentuado, el artista nos propone llegar a la catarsis aun en sus momentos más terribles. De ahí que pueda hablarse de una dimensión religiosa en su obra, pues busca en la exasperada sensación, tanto placentera como lastimosa, la experiencia límite que permite descubrir algo distinto. Ese encuentro sólo es posible cuando hemos abierto otros ojos, cuando "otro" entendimiento ilumina, por decirlo así, las obras que han provocado esa refracción insólita. Si la fórmula no sonara demasiado usada, podríamos decir que esta obra ofrece otros ojos para ver lo que al principio se miraba sólo con los propios.

Desde los inicios, su trabajo ha estado regido por el riguroso apego al oficio, por la conciencia de su propio material y por la aplicación de ciertas reglas (composición, ritmo y proporción). Alumno desde los 14 años de la Escuela Nacional de Artes Plásticas (1958-1962), su búsqueda de nuevas expresiones lo llevó por distintos rumbos: el teatro y la danza. Brasil, Argentina, Estados Unidos, Francia, Grecia, Italia, Egipto, Libia y Túnez fueron el escenario de sus primeras exploraciones, tanto en el arte como en el conocimiento de la vida. Participó en talleres y en exposiciones que sería tan largo como ocioso enumerar. Baste decir que su obra buscó tanto la solidaridad política (Museo de la Resistencia Salvador Allende; Exposición solidaria con Nicaragua, Ciudad de México) como el encuentro con realidades alejadas pero no por eso extrañas (Trienal de Nueva Delhi, India).

Variada y rica, diversificada y unitaria, su creación se ha podido nutrir de todas las atmósferas y de todas las tendencias, sin por ello perder su personalidad. Por otro lado, parecería que toda esta universalidad, este peregrinar movido por una sed de "buscar al hombre en todas partes" tenía desde un principio como objetivo fundamental afincar con más profundidad su ser mexicano. Nos lo hacen patente algunas de sus telas (*Tlatoani, Serpiente emplumada*) y también varias de sus esculturas (*Tezcatlipoca, Tzompantli, Ahuatenco*). Esta mexicanidad no obedece a un simple afán ilustrativo, sino que proviene de una profunda identificación con esa capacidad para el dolor y para la fiesta que caracteriza a nuestro pueblo.

Si bien José Francisco ejerce su arte en diversas técnicas —dibujo, grabado, escultura— es en la pintura en acrílico donde su expresión cobra mayor significado. La pintura como un terreno donde la materia y el color se enfrentan acaloradamente, trenzándose en un abrazo que hace pensar más en el amor que en el combate... o en los dos al mismo tiempo. Violencia y erotismo, mas no separados sino confundidos. Cuerpos que se juntan y separan en un experimento plástico donde el gozo y el sufrimiento nos dan otros ojos para ver... de otra manera.

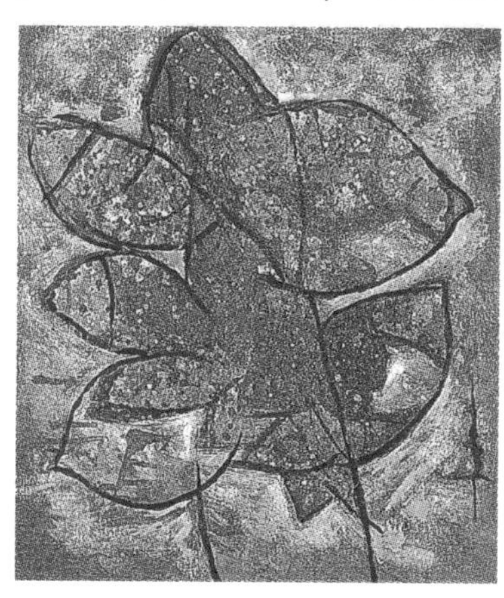

Sandías patrióticas. *1993. Acrílico sobre papel. 66.5 x 50 cm.*

Juego erótico. *1993. Fierro. 43 x 45.3 cm.*

Acercarse a
las Obras Maestras
del Arte Universal
es más fácil con...
prodigy®
internet
www.prodigy.net.mx
En el D.F. 52 41 22 22. Del interior de la República 01 800 123 2222 LADA sin costo
TELMEX

Hoy, somos 100.
Gracias. A ti.

a.

Desde su fundación, en 1903,

las puertas de Sanborns

han estado abiertas sólo con un fin,

servir a sus clientes.

Y hoy, después de 96 años de atención,

abrimos el Sanborns número 100

con dos objetivos:

servirte y estar más cerca de ti.

Desde su apertura hasta el Sanborns número 100.

Desde su fundación en 1903, las puertas de Sanborns han estado abiertas con un sólo fin: servir a sus clientes y estar cada vez más cerca de ellos ofreciéndoles los mejores productos.

Las tradiciones, costumbres y necesidades de la sociedad de antaño fueron inspiración para crear el primer establecimiento en el que se conjuntara en un mismo lugar, tienda y restaurante. De esta manera, Sanborns abrió sus puertas. En su interior se podía ver todo tipo de personas, desde las damas más refinadas de la ciudad comprando en el departamento de moda o las adolescentes que buscaban las últimas fragancias traídas desde Europa, hasta los caballeros más distinguidos del mundo político, social e intelectual, conversando por horas enteras mientras tomaban una taza de café y fumaban un buen puro.

b.

Dentro de la tradición de Sanborns, se encuentra la elaboración de sus dulces y chocolates con calidad mundialmente reconocida, tales como los que se producen con la marca "Azulejos" o las famosísimas tortugas, así como diversos productos especiales para eventos de temporada. En la fábrica de chocolates, la organización del trabajo de producción es muy amplia, ya que el proceso comienza desde el arribo y una muy exigente selección de la materia prima, y termina en la fabricación, empaque y distribución de los productos que ahí son elaborados.

En el año de 1969, se puso en marcha el 1er. Comisariato de Sanborns, lugar donde se concentra la estandarización de la calidad para todos los restaurantes en productos y recetas, la compra de insumos y la producción de muchos de los productos para restaurantes y pastelerías. Actualmente, Sanborns cuenta con tres comisariatos que tienen a su cargo diversos servicios tales como: la producción de la panadería, pastelería, carnicería, cocina, helados, tostado de café, y su almacenamiento y distribución a todos los restaurantes de Sanborns.

Con el Sanborns número 100, cuya inauguración fue en febrero de 1999, se festeja la conclusión de una importante etapa que, durante muchos años pareció lejana y difícil. Cuando Sanborns pasó a formar parte de Grupo Carso en 1985, convirtiéndose en una empresa mexicana, contaba con 31 Sanborns y 6,500 personas. Por ello, el llegar a los 100 Sanborns en 14 años ha significado un gran compromiso siendo posible gracias al esfuerzo y trabajo conjunto de todo el gran equipo de esta orgullosa familia, y al apoyo y confianza de sus proveedores y en especial, de sus clientes quienes le han permitido este importante desarrollo. 100 Sanborns y más de 18,500 empleos directos gracias a inversiones importantes que hoy permiten afirmar que Sanborns continúa en el camino correcto.

El crecimiento de Sanborns se ha notado a lo largo de la República Mexicana, estando presente en la vida diaria de las ciudades en las que se encuentra.

Sanborns Plaza Insurgentes será siempre una referencia especial en la vida de Sanborns, ya que ahí se reafirma una vez más su compromiso como empresa y grupo de continuar creciendo, mejorándose y restaurando inmuebles que son parte del patrimonio histórico del país, como la Casa de los Azulejos, que es el origen de Sanborns y su principal orgullo.

Abrir el Sanborns número 100, conservando la misma atención, calidad y servicio en el restaurante, bar y tienda es un reto y una obligación con los clientes, por quienes continúa y por quienes hoy: abre el Sanborns número 100.

* Fotos tomadas del libro "La Casa de los Azulejos".

a. Casa de los Azulejos por los años 20's.*
b. Panchito, el popular encargado de la venta de cigarros y puros.*
c. Restaurante Sanborns Insurgentes.
d. Fachada Sanborns Insurgentes.

SOLO

Sanborns

MUSE
Av. Hidalgo 45, Plaza de Santa Veracruz, Centro Histórico.
MUSEO FRANZ MAYER

FRANZ MAYER

Un recorrido por la historia de las artes aplicadas en México.

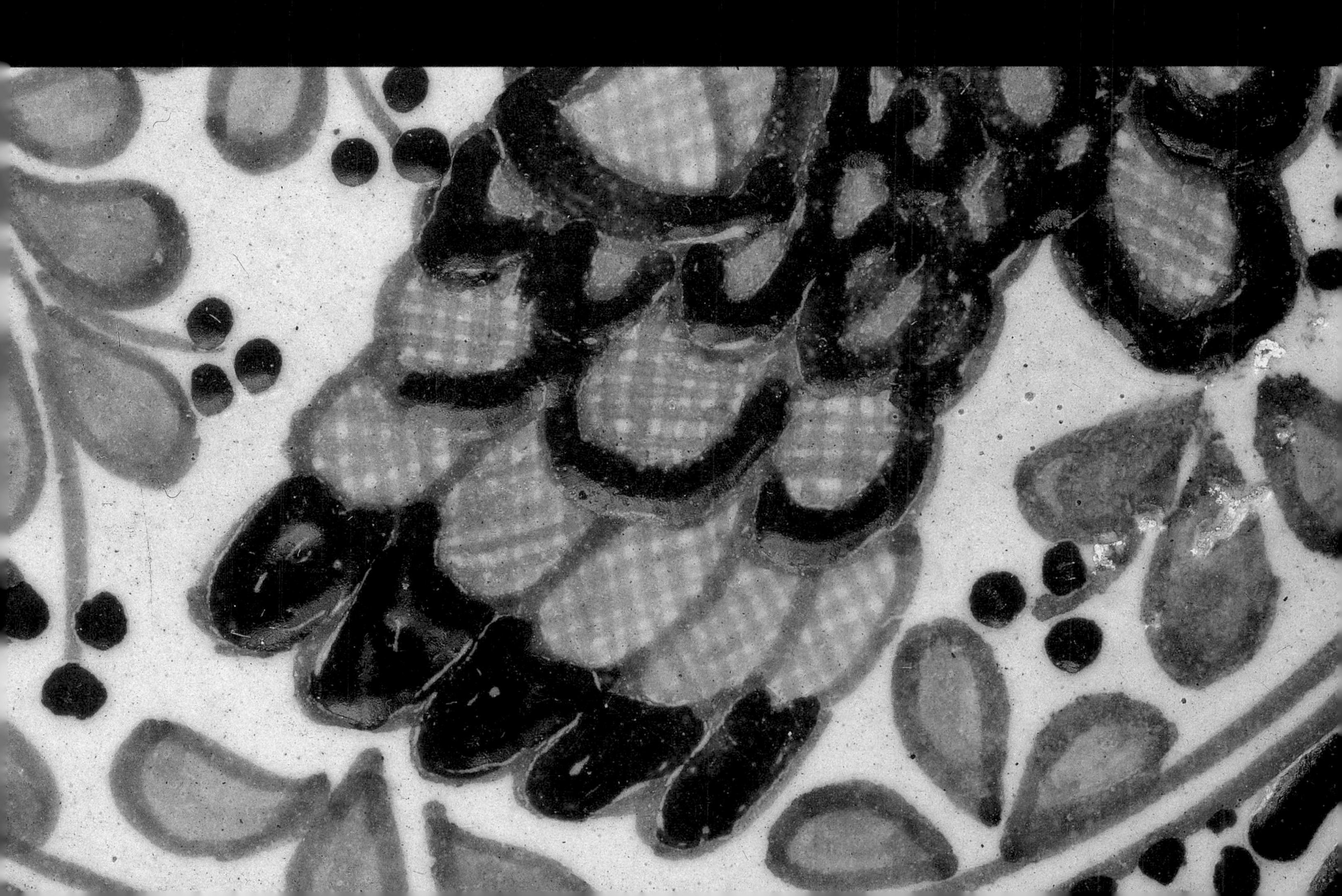

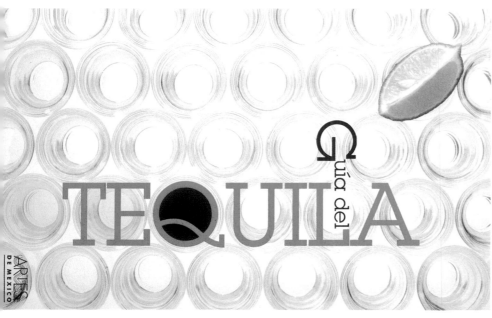

Hay pasiones que desconocen el tiempo...

Hay generaciones que marcaron una evolución en su época.

Ruinas Edzná.
Patricia Tamés.